難問クロスワード

脳を活性化する
「調べて解く」トレーニング

難攻不落編

JN013557

キューパブリック制作

主婦と生活社

はじめに

　このたびは、『超難問クロスワード 難攻不落編』を手に取ってくださり、誠にありがとうございます。

　本書には、日本経済新聞日曜版「NIKKEI The STYLE」で連載中の「Challenge! CROSSWORD」から60問が掲載されています。

　2017年3月にスタートした「NIKKEI The STYLE」は、当初からクロスワードに力を入れてきました。そして回数を重ねるごとに、知的好奇心が高い層から、静かな、しかし熱い支持を得ています。

　なぜこんなにも難しいクロスワードにしているのか、「Challenge! CROSSWORD」の担当者・豊田健一郎さんに聞いてみました。そうすると、「『この難関なクロスワードに挑戦することが自分の使命』と感じている、知的好奇心旺盛な方々に満足してもらうため」というあまりにもストイックな回答。難易度は、普通に生活を送っているだけだと解けないような水準を維持しているとのことでした。

　2018年には、あの有吉弘行さんがご自身のラジオ番組で「めちゃめちゃ難しい。でも、逆に面白い。ヒマつぶしになる」と語ったことからも話題になりました。

　多くの人が「難しくてわからなすぎる」と言うように、問題のレベルは「解ける人などいないんじゃないか」というくらいに、高いレベルを保っています。

　「NIKKEI The STYLE」の編集長・武類祥子さんいわく、紙面作りで参考にしたのは、ニューヨーク・タイムズやフィナンシャル・タイムズをはじめとする欧米の高級ニュースペーパー。そこには伝統的にこのようなハイクオリティのクロスワードパズルが掲載されており、現地の知的好奇心の強い人たちを魅了しているのだとか。

「超難問」と書かれた本書を手にしている皆様は、もう普通のクロスワードでは物足りない、もっと難しいクロスワードを解いてみたいと願っている、生粋のクイズマニアではないでしょうか。

本書は、そんなマニアの皆様にも、きっと満足いただける難易度の水準を維持していると自負しています。まさに難攻不落な超難問ぞろいですが、できれば、まずはできる限り自分の持っている知識だけで挑んでみてください。しかし、それでクロスワードを完成できる人はそんなにはいないでしょう。

ですから、スマホやパソコン、辞書などを使って答えのヒントを探ってみるのも、このクロスワードでは「アリ」です。というか、そうしないと完成できない人が大半のはずです。

難問クロスワードを解くことで脳の老化を予防！

脳の専門家・霜田里絵さんに聞いたところ、クロスワードを習慣的にやることで、老化による記憶力の低下が抑止されることが判明していると言います。

これはイギリスで実施された「PROTECT研究」のデータから導き出されたもの。調査を行ったエクセター大学認知症学上級講師のアン・コーベット博士によると、クロスワードパズルや数学パズルをやる人は、やらない人に比べて、短期記憶力が8歳、文法的推論能力が10歳も若かったのだとか。また、2003年に行われた「ブロンクス加齢研究」では、認知症の人がクロスワードを日常的に行うことで、記憶の喪失が2.54年分遅くなったという研究結果もあります。

脳は筋肉と同じように、使わなければどんどん衰えていきます。クロスワードは、まず問題文から答えを導き出し、その答えからまた違う問題の答えを類推しながら解いていきます。「ものごとを記憶する」「記憶した情報を引き出す」「答えを推理する」といった複合的な作業。そして、そ

んな作業を経て答えに辿り着いたときの喜びが、脳を刺激してくれるのでしょう。

　難易度が高いからこそ、解けたときの達成感もひとしお。まるで山頂から絶景を見下ろしたときのような爽快感が得られるのではないでしょうか。本書はまさに、日本中のクロスワードを愛するみなさまに贈る挑戦状。ぜひ、この難攻不落の山に挑んでいただけますと幸いです。

『超難問クロスワード』編集スタッフ一同

クロスワードを解くと、物事を「覚える」脳が冴える!

　日本語を母国語としている成人が理解している語彙は、4万〜5万語程度といわれていますが、実際にはその半分程度しか使わずに生活をしています。年齢を重ねていくと、「あれ取って」「それそれ」などと単語を使わずに会話をしてしまい、さらに語彙が少なくなってしまいます。

　たとえば、海外の地方都市や小説の登場人物などは、ふんわりとは覚えているものですが、いざ調べてみるとまったく違うということも多いですよね。でも、習慣的にクロスワードを解いていると、新聞を読んだり、テレビでニュースを見たり、誰かと会話をしたりするときも、いい加減な知識ではなく、固有名詞をきちんと覚えようとするはずです。そして、そうやって言語に対する意識が高まると、脳活動がレベルアップします。しかも、言語は通常、左脳だけの働きですが、クロスワードは立体的に考える要素もあるので、効率的に脳の活動を刺激してくれます。日常にクロスワードを取り入れるのは、脳にとってとてもいいといえるでしょう。また、本書のような難しいクロスワードをするのは、新しい言葉

と触れ合うチャンスも大。クロスワードを解く過程で覚えた単語の中から、何か心を惹かれるようなものが見つかり、それに関連する本を1冊でも読むことができたら素敵だなと思います。

　クロスワードをやる時間は、ランチやおやつを食べながら、夕方ゆっくりしているときなどいつでもいいですが、寝る前だけは避けてください。ゆっくりとスローダウンしていきたいときに、頭を使いすぎると興奮して眠れなくなってしまいます。脳は鍛えることも必要ですが、それと同じくらい休めることも大切なのです。

銀座内科・神経内科クリニック
霜田里絵 院長
SATOE SHIMODA

順天堂大学医学部卒業後、脳神経内科医局を経て都内の病院に勤務。2005年、銀座内科・神経内科クリニック開院。著書に『脳の専門医が教える40代から上り調子になる人の77の習慣』(文藝春秋)、『100歳まで絶対ボケない「不老脳」をつくる!』(マキノ出版)などがある。

超難問クロスワードの楽しみ方

①タテのカギとヨコのカギを見て、まずはすぐにわかるものから埋めていきましょう。
②どこかが埋まったら、クロスしている文字をヒントに答えを探し出してください。
③わからないときは、スマホやパソコン、辞書などを使って調べてもOKです。
④文字数の多い単語を調べると、それだけたくさんのヒントが生まれます。すべて調べて埋めてしまってもいいですが、カギをひとつ埋めるごとに、ほかにわかる部分はないか改めて考えてみましょう。
⑤すべて埋まったら、P.126以降の解答を見て答え合わせをしましょう。

さらにおすすめの使い方!

●繰り返し解くことが、脳の活性化にもつながります。コピーをとるか、鉛筆や消せるペンなどを使って何度かチャレンジしてみましょう。
●すべての文字が埋まったら、右下の記入欄に解答日とかかった時間を書き入れましょう。解答にかかる時間が短くなったら、脳がレベルアップした証拠です。
●解答ページを見るときは、カタカナだけでなく、一般的な表記も確認するのがおすすめ。できれば、実際に紙に書いてみましょう。記憶として脳に定着しやすくなります。

解答日	月	日
時　間		分

クロスワードの基本的なやり方

●タテのカギとヨコのカギをヒントにして、カタカナで言葉を埋めていきます。
●1マスにはカタカナ1文字が入ります。
●タテのカギは盤面にある数字の書かれたマスから下方向に、ヨコのカギは数字の書かれたマスから右方向に書き入れます。
●タテのカギとヨコのカギが交差する部分は、同じ文字が入ります。解答のヒントにしてください。
●小さい「ャ」「ュ」「ョ」「ッ」などは、大きい「ヤ」「ユ」「ヨ」「ツ」などと同じ文字として扱います。
●「ドーム」、「ビーナス」などの「ー」は、そのまま「ー」として書き入れます。「ドオム」「ビイナス」とはなりません。

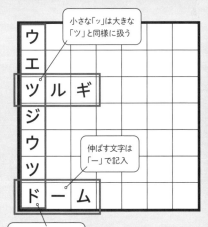

「理性」「心理学」「芸術」 などの用語の生みの親?

タテのカギ

1. 「進化論」のダーウィンの母方の祖父ということでも知られる高級陶磁器ブランドの創設者
2. 日本神話で天照大神の孫。○○○のみこと
3. シェークスピアの四大悲劇の一つ
4. 『源氏物語』の巻名にもその名がある、風光明媚で知られる神戸市の地名
5. 『日本書紀』を撰進した、天武天皇の皇子
8. キューバ発祥の民俗音楽。1930年代以降に欧米で流行したダンス音楽の名前にも
10. 物事をはっきりと言わず、思わせぶりに言うこと。○○○に衣(きぬ)着せる
11. 織田信長が中国の岐山と曲阜から一字ずつ取って命名した地名
13. 旧約聖書の『創世記』に出てくる罪業の都市、○○○とゴモラ
16. 琉球の言語・歴史・民俗を研究した沖縄生まれの学者、○○普猷(ふゆう)

ヨコのカギ

1. 広大な塩原で観光地として有名な、ボリビア南西部の町
3. 交響詩を確立し、超絶技巧のピアニストとしても知られたハンガリーの音楽家
6. 「理性」「心理学」「芸術」など多くの科学・哲学用語の生みの親である、幕末・明治の啓蒙思想家
7. ○○○岳は富山県、○○○山は徳島県にそびえる高峰
9. 孔子が唱えた、儒家の道徳思想の中心
10. 楷書・行書・草書の各書体を完成して「書聖」と称される中国・東晋の書家
12. 『源氏物語』で桐壺帝の第8皇子、光源氏の異母弟、○○○○の宮
14. ゲルマン民族の大移動の原因は、アジアの○○民族がヨーロッパに侵入したこと
15. 超高層ビル、ブルジュ・ハリファがある中東の都市
17. イタリア語でクーポラといわれる、サンタ・マリア・デル・フィオーレ大聖堂などが有名な屋根の建築様式
18. 17世紀にオランダのホイヘンスが提唱した、光の○○○説

第1問 解答欄

1		2	■	3	4	5
	■	6				
7	8		■		■	
9		■	10		11	
12		13		■	14	
	■	15		16		■
17			■	18		

解答=126ページ

解答日　　月　　日	解答日　　月　　日
時　間　　　　分	時　間　　　　分
解答日　　月　　日	解答日　　月　　日
時　間　　　　分	時　間　　　　分

14世は太陽王と呼ばれ、16世は断頭台の露と消えた?

タテのカギ

1. 英語のECONOMICの語源の一つで、経済史上の基本概念の一つになっている語。もともとはギリシャ語で「家」の意
2. スイス南東部、グラウビュンデン州で話されている〇〇〇〇〇語。ドイツ語、フランス語、イタリア語と並びスイスの公用語の一つ
3. 英国で「サー(Sir)」の称号を許された者
4. 第一次世界大戦後のドイツで、超インフレ解消のため、1923年に発行された紙幣
8. 14世は太陽王と呼ばれ、16世は断頭台の露と消えた、フランス・ブルボン朝の王の名
10. 藤原仲麻呂、道鏡を重用、重祚して称徳天皇となった女帝・〇〇〇〇天皇
12. 中国で聖人の出る前に現れるという霊獣
13. ジョージ・オーウェルの小説『一九八四年』に出てくる独裁者の名は〇〇〇・ブラザー
14. 源頼政が退治したという、漢字で「鵺」と書く伝説上の怪獣
16. 「ほぞを噛む」の「ほぞ」の一般的な名称

ヨコのカギ

1. シェークスピアの四大悲劇の一つ
3. イエス・キリストが育ったイスラエル北部の都市
5. 新約聖書の4つの福音書の1つを書いたといわれる使徒
6. 明治の洋画家、黒田清輝の代表作の一つ
7. ウィーンのホテル・ザッハーのものが有名な古典的なデコレーションケーキ
9. 力足ともいう、相撲の稽古の基本的運動
11. 夏を滅ぼし、周に滅ぼされたとされる、中国の古代王朝。別名は商
12. 「みぞおち」ともいう、胸骨の下の中央のくぼんだ箇所
14. 上に産地名などをつけて漆器名を表す語。輪島〇〇、春慶〇〇など
15. モーツァルトの作品番号で知られる、オーストリアの音楽研究家
17. 何もかも十分にそろっていて少しの不足もないことを表す四字熟語

第2問 解答欄

1		2	■	3		4
	■	5			■	
6			■	7	8	
	■	9	10	■	11	
■	12			13	■	
14		■	15		16	
17						

解答=126ページ

解答日　　月　　日　　　　解答日　　月　　日

時　間　　　　分　　　　　時　間　　　　分

解答日　　月　　日　　　　解答日　　月　　日

時　間　　　　分　　　　　時　間　　　　分

徳の高い者には自然と人が集まる?

タテのカギ

1. グーグルおよびグループ企業の持ち株会社の名前
2. シェークスピアの四大悲劇の一つ
3. ヒマラヤ山麓の避暑地として知られる、インド北部、ヒマチャル・プラデシュ州の州都
4. トリカブトの根からつくる生薬
6. 戦後史の謎といわれる「M資金」のMはこの人の頭文字とされる、占領下日本のGHQ経済科学局長、ウィリアム・○○○○○少将
8. 1960年代には世界有数の面積を誇ったが、以降半世紀で約5分の1に縮小した、カスピ海東方にある塩湖、○○○海
9. 主人公の脳天にできた池に自らが身を投げるという落ちの、SFチックな落語
11. 仲直りすること。元の○○に収まる
14. 古代インカ帝国で記録に用いた結縄(けつじょう)の名称
15. 近代○○学の祖といわれるアレクサンダー・フォン・フンボルト

ヨコのカギ

1. ラテン語で「生命・魂」。心理学者ユングは「男性の心の奥に潜む女性性」の意で用いた
3. 森鴎外の史伝でも知られる幕末期の儒学者で漢方医、○○○抽斎
5. 乾燥した状態で環境変化に驚異的な耐性を持つ、緩歩動物の総称
7. リオデジャネイロ五輪の際も問題になった、ブラジルにおけるスラム街の名称
10. 1867年に米国がロシアから買収し、1959年に米国49番目の州になった地
11. 九州本島最南端、大隅半島の先端に位置する○○岬
12. 1876年に有線電話を発明した米国の科学者
13. 武田勝頼に内通した疑いで殺された、徳川家康の正室、○○○○殿
15. 冷戦時代、ユーゴスラビアの独自路線を推し進め、1980年に死去した○○○大統領
16. 徳の高い者には自然と人が集まるという意味。「○○○もの言わざれども下自(おの)ずから蹊(みち)を成す」
17. イタリア語で「第1の」の意。歌劇の○○○・ドンナ

第3問 解答欄

1		2	■	3	4	
	■	5	6			■
7	8				■	9
10			■	11		
12		■	13	14		
	■	15			■	
16			■	17		

解答=126ページ

解答日　　月　　日　　　　解答日　　月　　日

時　間　　　　分　　　　　時　間　　　　分

解答日　　月　　日　　　　解答日　　月　　日

時　間　　　　分　　　　　時　間　　　　分

その形からついた 米大統領執務室の呼び名?

タテのカギ

1. 『春』『ビーナスの誕生』を描いた初期ルネサンスの画家
2. 道家の祖である思想家
3. 1941年11月、米国から日本に提案された○○・ノート
4. カツオの削り節を加えて煮た料理
5. シェークスピアの四大悲劇の一つ
7. 米大統領執務室はその形から○○○○・オフィスと呼ばれる
9. 暴君の代名詞である古代ローマの皇帝
13. 中世ヨーロッパの学問、○○○学。ラテン語で学校の意
14. 千葉周作の道場・玄武館があった、○○○ヶ池
15. 1929年、第1回アカデミー作品賞受賞作品
17. シッティング・ブル、クレージー・ホースといえば北米先住民族、○○族の英雄

ヨコのカギ

1. フランスの作曲家、ラベルの代表曲
3. タカ派の反対
6. 米国最古の時計ブランドの名前にもなっている、マサチューセッツ州東部の都市
8. ニューディール政策の象徴、TVAとは○○○○川流域開発公社
10. トーマス・マンの長編『ブッデンブローク家の人々』の影響を受けて北杜夫が書いた長編小説『○○家の人びと』
11. 英雄○○を好む
12. 男声の最低音域
14. 『若草物語』を書いた米国の女性作家
16. 米国へ旅行する際の電子渡航認証システムの略称
18. 雄ロバと雌馬との間に生まれた動物
19. 19世紀ドイツの天才数学者による数学の重要な未解決の問題の一つ、素数の個数についての○○○○予想
20. 中勘助の自伝的小説『銀の○○』

第4問 解答欄

1		2	■	3	4	5
	■	6	7			
8	9			■	10	
11		■	12	13	■	
	■	14			15	
16	17		■	18		■
19			■		20	

解答=127ページ

解答日　　月　　日	解答日　　月　　日
時　間　　　　分	時　間　　　　分
解答日　　月　　日	解答日　　月　　日
時　間　　　　分	時　間　　　　分

食を乞う修行僧が 首にかけた袋?

タテのカギ

1. 1939年8月、平沼騏一郎内閣が総辞職した際の声明「欧州情勢は〇〇〇〇〇〇」。その数日後に第二次世界大戦が勃発

2. ニーチェの言葉で、恨み・怨恨という意味のフランス語

3. 「澪」と書く、船の航行に適する底の深い水路

4. 1908年、永井荷風が最初の外遊体験を元に発表した小説『〇〇〇〇物語』

6. 現存種はホモ・サピエンスのみ

9. 現地語でラパ・ヌイ島という南太平洋の島、〇〇〇〇〇島

11. もともとは行く先々で食を乞う修行僧が首にかけた袋のこと、〇〇袋

14. 1912年に日本初の南極探検隊を率いた軍人、〇〇〇壽(のぶ)

15. 核酸を構成する塩基の一つで、Tと略記

18. 『三国志』にも登場する、後漢末期の名医

ヨコのカギ

1. イタリアのノーベル賞物理学者の名が付いた「〇〇〇〇推定」とは、実測が難しい数値を理論的に推論し概算すること

4. 綸言〇〇の如し。君主の言はいったん発せられたら取り消すことはできない

5. 秋の竜田姫に対して、春の女神

7. 結跏趺坐または半跏趺坐で行う、精神集中の行法

8. 日本の洋酒産業の創始者でサントリーの創業者、〇〇〇信治郎

10. メルカトル、モルワイデ、サンソンといえば〇〇投影法の名前

12. 『皇帝のかぎ煙草入れ』などで知られる推理作家、ジョン・ディクスン・〇〇

13. 旅に出ることをある神社の名を使って言った語

16. 旧称をペルシャといった国

17. 武田信玄が徳川家康・織田信長連合軍を破った、〇〇〇ヶ原の戦い

19. 源平合戦において、源頼朝・義経兄弟が初の対面を果たした、〇〇川の陣

20. 英語で「代役」は〇〇〇〇スタディー

第5問 解答欄

1		2	3	■	4	
	■	5		6		■
7			■	8		9
	■	10	11	■	12	
13	14			15	■	
16			■	17	18	
19		■	20			

解答=127ページ

解答日	月	日		解答日	月	日
時　間		分		時　間		分

解答日	月	日		解答日	月	日
時　間		分		時　間		分

タテのカギ

1. 技術革新による景気循環に名を残す、ロシアの経済学者
2. 1世は獅子心王と呼ばれた英雄、2世、3世はシェークスピア史劇の題材となった英国の王
3. 『平家物語』の「宇治川の先陣」に描かれた名馬、いけずきと〇〇〇〇
4. 「筆忠実」の「忠実」の読み
5. ミュージカル『マイ・フェア・レディ』のヒロイン、〇〇〇〇・ドゥーリトル
7. 英語で「イエス」、フランス語で「ウイ」、ドイツ語では？
9. 哲学や精神分析の用語で、「エゴ」の訳語
12. 株式や社債などを売り出すときに提供される、〇〇〇〇書
14. 日本最初の女帝、〇〇〇天皇。摂政は厩戸王（＝聖徳太子）
16. ブラジルをFIFAワールドカップ優勝に3度導いた「サッカーの王様」
18. ブリキとは鉄にこの金属をメッキしたもの

ヨコのカギ

1. ゴルフでイーグルは「鷲」。バーディーは「〇〇〇」を表す幼児語が語源
3. 大相撲の起源とされる、宮中の「相撲の節会」。読みは「〇〇〇のせちえ」
6. 唐人笛とも呼ばれる、ポルトガル語に由来する管楽器
8. 近代メジャーリーグ史上初の黒人選手、ジャッキー・ロビンソンが所属した球団
10. 日本では一般に「貯蔵工程で熟成させたビール」のこと
11. シャンパンとオレンジジュースのカクテル
13. スペイン語で「2」
15. フェンシングの種目の一つで、全身すべてが有効面となるのが特徴
17. ギリシャ神話で、父ダイダロスの作った翼で空を飛ぶが、太陽の熱で翼が溶けて海に落ちてしまった少年
19. ミケランジェロの『最後の審判』は〇〇〇〇画の代表作
20. 『荀子』がもとになったといわれることわざ「〇〇は方円の器に従う」

第6問 解答欄

1		2	■	3	4	5
	■	6	7			
8	9				■	
10			■	11	12	
	■	13	14	■		■
15	16	■	17			18
19				■	20	

解答=127ページ

解答日　　月　　日	解答日　　月　　日
時　間　　　　分	時　間　　　　分
解答日　　月　　日	解答日　　月　　日
時　間　　　　分	時　間　　　　分

『ピーターラビット』の ふるさと?

タテのカギ

1. 古くは「カレドニア」と呼ばれた地方
2. 物事や世情に疎いお坊ちゃん、お嬢さんに対する言い回し、「〇〇の煮えたもご存じない」
3. 朝目覚めたら虫になっていたグレゴール・ザムザ青年が主人公の小説
4. 戦国武将、北条早雲の別名、〇〇宗瑞
5. 古代インド人が「チーナスターナ」と呼んだことによる、中国の古称
6. 『ピーターラビット』のふるさととしても知られる、英国の〇〇〇地方
9. 古代エジプト神話の女神。冥界の王となったオシリスの妹にして妻
11. 数珠や鷹を数えるのに用いる語
12. 『三国志演義』で、劉備・関羽・張飛が義兄弟の契りを結んだ場所
14. ローマで夭折した英国・ロマン派を代表する詩人、ジョン・〇〇〇
15. 「羊歯」の読み
16. 日本音楽で音程を示す単位

ヨコのカギ

1. マルタ人医学者、エドワード・デボノが1960年代に提唱した、固定観念によらずさまざまな角度から自由に発想する思考法
7. 1776年に政治哲学者トマス・ペインが刊行し、米独立戦争やフランス革命に影響を与えた小冊子
8. 名探偵ポアロの相棒、ヘイスティングズの軍隊での階級
10. 米独立戦争でG・ワシントンが最初に勝利を挙げた地としても知られる、ニュージャージー州の州都
13. 『易経』の一節、「治に居て〇〇を忘れず」
14. ビリヤードで、1度触れた球同士が再び触れること
15. 夫は英国・ロマン派の詩人、妻は「フランケンシュタイン」の生みの親
17. 「満天星」と書く植物

第7問 解答欄

1	2	3	4	5	6	
7						■
	■		■	8		9
10	11		12		■	
13		■		■	14	
	■	15		16		■
17						

解答=127ページ

解答日　　月　　日		解答日　　月　　日
時　間　　　　分		時　間　　　　分
解答日　　月　　日		解答日　　月　　日
時　間　　　　分		時　間　　　　分

英語では TEXAS LEAGUER？

タテのカギ

1. 『荘子』に出てくる、強さを外に表さない最強の闘鶏のたとえ。双葉山の連勝記録が69で途絶えたときのエピソードでも知られる

2. 童話『ピーター・パン』に出てくる妖精

3. 貧しい農民の生活を克明に描く、長塚節の小説

4. 『一般言語学講義』で現代の科学的言語学の基礎を築いた、スイスの言語学者

5. インド・バラモン教の根本聖典のなかでも最古のもの、『〇〇・ベーダ』

9. 仙台藩と伊予宇和島藩に名を連ねる外様大名、〇〇氏

11. 英語ではTEXAS LEAGUER、野球の〇〇〇ヒット

12. 最大の見どころは「悪魔の喉笛（のどぶえ）」。先住民の言葉で「大いなる水」の意の〇〇〇〇〇の滝

13. 水に溶けると水酸化物イオンを生じる物質

14. 太公望と呼ばれた呂尚は、中国・周代のこの国の始祖

15. ルーマニアの貨幣単位

ヨコのカギ

1. 幼児教育改革論を唱えてローマに「子どもの家」を設立。イタリア最初の女性医学博士の一人でもある、医師・教育家

6. ギシギシ、エゴノキ、クサイチゴ、ヒガンバナの古名

7. 奈良の東大寺は〇〇〇宗の寺院

8. 聖書に記された背信の徒、イスカリオテの〇〇

10. 代表作は『ティファニーで朝食を』『冷血』。米国の作家トルーマン・〇〇〇〇〇

13. 相対性理論により存在が否定された、光や電磁波を媒介するとされた仮想物質

14. 『晋書』にある故事が語源。他人より先に着手すること

15. 南米に生息する、ダチョウよりやや小形の飛べない鳥

16. 市役所で市民課長・渡辺勘治が主人公。黒澤明監督、志村喬主演の映画

17. 幼少から神童と呼ばれ数々の逸話を残した、数学王と呼ばれるドイツの天才数学者

第8問 解答欄

1		2	3	4		5
	■	6			■	
7			■	8	9	■
	■	10	11			12
■	13				■	
14			■		15	
16			■	17		

解答＝128ページ

解答日　　月　　日	解答日　　月　　日
時　間　　　　分	時　間　　　　分
解答日　　月　　日	解答日　　月　　日
時　間　　　　分	時　間　　　　分

緊急の必要のためには手段を選ばない?

タテのカギ

1. 当時のソ連共産党の圧力により、1958年のノーベル文学賞を辞退させられた作家
2. フィンランド、フィンランド人、フィンランド語の自称
3. 中国仏教三大霊山の一つとされる四川省にある山、〇〇山
4. 1932年、女性初の大西洋単独横断飛行に成功した飛行家、〇〇〇〇・イアハート
6. 禅寺の山門に見られる標語「〇〇〇〇山門に入るを許さず」
8. 米の黒人作家アレックス・ヘイリーが1976年に刊行した小説で、テレビドラマ版もヒットした作品
9. 9世紀後半〜10世紀初め頃にギリシャ文字を元につくられ、現在のロシア文字に改訂された文字
12. 動かすのに千人かかるほど重いという意味。〇〇〇の岩
14. 隋・唐代は科挙の課目の一つで、宗以降は一般に科挙の合格者の意
16. 緊急の必要のためには手段を選ばないという意のことわざ。〇〇の用には鼻をも削ぐ

ヨコのカギ

1. アリストテレスの倫理学用語で、あるものの中に生じた出来事や変化をいった語。感情の高まり、激情のこと
3. ギリシャ神話の大地の女神
5. 「噯」の読み。げっぷのこと
7. 発明したロシア人の名がそのままついた、世界初の電子楽器
9. ポルトガル語の十字架から十を意味するようになり、転じて最後あるいは最低のもののたとえ
10. 「アイアン・ホース」の異名で知られたヤンキース黄金時代の強打者、〇〇・ゲーリッグ
11. マフィア発祥の地でもある地中海最大の島、〇〇〇〇島
13. カントリー音楽の中心地でも知られる、米テネシー州の州都
15. 昔ながらの日本酒の醸造法といわれる、〇〇〇造り
17. 城山三郎の著作で「わしの眼は十年先が見える」と称された実業家・大原孫三郎の生地
18. 有田焼(伊万里焼)はこの焼物の代表

第9問 解答欄

1		2	■	3		4
	■	5	6		■	
7	8			■	9	
10		■	11	12		
13		14				■
	■		■	15		16
17				■	18	

解答=128ページ

解答日　　　月　　　日		解答日　　　月　　　日	
時　間　　　　　　分		時　間　　　　　　分	
解答日　　　月　　　日		解答日　　　月　　　日	
時　間　　　　　　分		時　間　　　　　　分	

オリーブの葉をくわえて戻ってきた鳥?

タテのカギ

1. 「情報の非対称性を伴った市場分析」で2001年のノーベル経済学賞を受賞した学者の一人
2. 「集団自殺する」という話はただの伝説にすぎないといわれる、タビネズミの和名を持つ動物
3. ジョージ・ハリスンがラヴィ・シャンカールに師事した楽器
4. 20世紀の文学界に多大な影響を及ぼした小説『失われた時を求めて』を著したマルセル・○○○○○
6. 幕末～明治期に上方落語の黄金時代を築いた落語家、初代・桂○○○
7. ソシュールの言語学用語で「所記、記号内容」と訳される言葉
10. オランダのロッテルダムとユトレヒトの中間に位置する古い歴史を持つ都市。英語名はチーズの種類として有名な「ゴーダ」。ホウダとも
11. エリトリア、ジブチ、ソマリアなどにまたがる地域の異称、アフリカの○○

ヨコのカギ

1. 夏目漱石著『三四郎』で美禰子のせりふとして知られる、聖書にも見られる語
5. 11世紀に著した『医学典範』は中世ヨーロッパの医学にも大きな影響を与えた、イスラムの哲学者・医学者。ラテン名はアヴィケンナ
8. ゲームのアイテムにも見られる、北欧神話の主神・オーディンが持つ魔法の武器
9. 1910年の日本併合とともに滅んだ朝鮮最後の王朝、○○朝鮮
10. 「ノアの方舟」の物語で、オリーブの葉をくわえて戻ってきた鳥
11. イングリッド・バーグマンがアカデミー主演女優賞を受賞した1956年制作の映画。原題は『Anastasia』
12. 十干の一つ「戊」の読み
13. 詩人・ツァラが命名したといわれる、1910年代半ばに欧米に起こった反文明、反合理的な芸術運動

第10問 解答欄

1		2		3		4
	■		■		■	
5	6		7			
8					■	
9		■		■	10	
	■	11				■
12				■	13	

解答=128ページ

解答日　　月　　日	解答日　　月　　日
時　間　　　　分	時　間　　　　分
解答日　　月　　日	解答日　　月　　日
時　間　　　　分	時　間　　　　分

外資系企業に国内企業が淘汰されてしまう現象?

タテのカギ

1. 「カエルやセミが鳴き騒ぐ意」から、騒ぎ立てるだけで内容の乏しい議論や文章を表す四字熟語

2. サッカレーの小説をキューブリックが映画化した作品『バリー・○○○○』

3. 「あめゆじゅとてちてけんじゃ」というフレーズが印象的な宮沢賢治の詩『永訣の○○』

4. 浦島伝説でも知られる木曽川上流部にある名勝、○○○の床

5. 漢字で「巻繊」「巻煎」などと書く、中国由来の料理

8. 飛来○○○○が創始したといわれる漆器、○○○○張

10. 字音の初めと終わりを意味する梵語から、万物の最初と最後を象徴する語

12. イスラエル王国第3代の王で第2代国王ダビデの子

15. 名探偵ホームズの生みの親、コナン・○○○

17. 半野生の岬馬が生息することで知られる、○○岬

18. アジア初のノーベル経済学賞受賞者、アマルティア・○○

ヨコのカギ

1. ギリシャ神話の登場人物の名に由来する、難問解決の方法を指す言葉「○○○○○の糸」

6. 英国に本部がある、人口上位2%の知能指数を持つ人びとの国際交流組織

7. 哲学用語で「存在」。対義語はゾルレン

9. 中国のことわざ「水を飲むときには、○○を掘った人を忘れない」

10. 「いろは歌」に先んじて出来たといわれる平安初期の手習い歌、「○○○○の詞」

11. プロイセンの将軍・クラウゼヴィッツの主著といえば『○○○○論』

13. 日本音楽で、声や楽器の高い音域を指す語

14. 『野性の呼び声』『白い牙』で知られる米国の作家、ジャック・○○○○

16. 福井県南西部・内外海(うちとみ)半島北岸にある景勝地。漢字で「蘇洞門」

19. 市場開放により外資系企業に国内企業が淘汰されてしまうこと。○○○○○○○現象

第11問 解答欄

1	2	3		4	■	5
6			■	7	8	
9		■	10			
11		12		■	13	
	■	14		15		■
16	17		■		■	18
19						

解答=129ページ

解答日　　月　　日　　　　解答日　　月　　日

時　間　　　　分　　　　時　間　　　　分

解答日　　月　　日　　　　解答日　　月　　日

時　間　　　　分　　　　時　間　　　　分

江戸時代に四十八手の技を考案した力士?

タテのカギ

1. 兼愛説と非戦論を骨子とする思想を説いた、諸子百家の一人

2. 神格化もされる東洋の「竜」と異なり、西洋世界で広く「悪」の象徴とされる想像上の生物

3. 南北戦争で南軍の総司令官

4. 若き日の太田道灌を描いたエピソードで知られる歌「七重八重花は咲けども〇〇〇〇の実のひとつだになきぞ悲しき」

5. 一人あたりGDPで二十数年もの間、世界一に君臨している欧州の国

8. 囲碁がテーマの、上方噺から東京に移植された古典落語の一つ

11. 『三国志演義』で董卓→呂布→関羽に渡ったと描かれた、一日千里を走る駿馬

12. 初代横綱に認定されている江戸時代前期の力士で、四十八手の技を考案したともいわれる、〇〇志賀之助

13. 英国のロンドン警視庁の通称、ニュー・スコットランド・〇〇〇

14. 20世紀を代表する女性ジャズ・シンガーの一人、〇〇・フィッツジェラルド

ヨコのカギ

1. 現代思想に大きな影響を与えた『消費社会の神話と構造』を著したフランスの哲学者・思想家

6. 4世紀ごろに成立したインドの大叙事詩の主人公で、コーサラ国の王子

7. 社会学ではA.W.スモールやW.I.トマスら、経済学ではM.フリードマンを中心に形成された、〇〇〇学派

9. 「山のあなたの空遠く」(上田敏・訳)のフレーズで有名なドイツの詩人、カール・〇〇〇

10. 小野道風・藤原佐理・藤原行成の三人の能書家のこと

12. トビウオの異称

13. 後世に数々の研究論文が書かれた芥川龍之介の短編『〇〇の中』

14. パリのシャルル・ド・ゴール広場にある、〇〇〇〇〇凱旋門

15. 人形浄瑠璃、歌舞伎などで激しい戦闘の場面

16. ことわざ「〇〇を食らわば皿まで」

第12問 解答欄

1		2	3	4		5
	■	6			■	
7	8		■	9		
■	10		11		■	
12		■		■	13	
	■	14				
15				■	16	

解答=129ページ

解答日　　月　　日	解答日　　月　　日
時　間　　　　　分	時　間　　　　　分
解答日　　月　　日	解答日　　月　　日
時　間　　　　　分	時　間　　　　　分

秦の始皇帝が築いた
未完成の大宮殿?

タテのカギ

1. 「完成された言語」を意味する、古代インドで用いられた文章語
2. 「私は君の意見には反対だ。しかし君がそれを主張する自由は、死を賭してでも守る」の名言を残したとされる、フランスの哲学者
3. イタリア北部、ロンバルディア平原を流れる〇〇川
4. イスラム王朝の君主の称号の一つで、とくにオスマン帝国ではカリフを兼ねた
6. マタタビの異称、〇〇梅
9. キリスト教で魔王サタンと同一視される、堕天使の名前
10. アーネスト・ヘミングウェイ博物館でも知られる米フロリダ州の〇〇・ウェスト
12. 秦の始皇帝が築いた未完成の大宮殿、〇〇〇宮
13. バルザックの『人間喜劇』中、最高傑作とされる小説『〇〇〇の百合』
15. 姉は茶々、妹は江。織田信長の姪、浅井三姉妹の次女

ヨコのカギ

1. 帝政ロシア時代の様々な格闘技に、日本の柔道なども加味して旧ソ連が新しい体系の競技にまとめたもの
3. 建築や思想、文学などにみられた「脱近代」の動き、〇〇〇モダン
5. 『にんじん』『博物誌』などで知られるフランスの作家
7. 警句、警語のこと。〇〇〇〇人を刺す
8. 古代ギリシャの哲学者・ディオゲネスの異名「〇〇の中の哲人」
10. 『日本書紀』で、神武天皇東征のときに弓の先にとまったと記される金色のトビ
11. 米の公認不動産業者を指す名称
14. 「〇〇の口を切る」「〇〇にはまる」。二つの語句に共通する言葉
15. 中国・四国・九州地方で「南風」の読み
16. 明治・大正・昭和を通じての右翼の巨頭で玄洋社総帥。大アジア主義者で孫文、蒋介石、金玉均、R・B・ボースらとも交流があった

第13問 解答欄

¹		²	■	³	⁴	
	■	⁵	⁶			■
⁷				■	⁸	⁹
	■		■	¹⁰		
¹¹	¹²		¹³		■	
¹⁴		■		■	¹⁵	
¹⁶						

解答=129ページ

解答日　　月　　日		解答日　　月　　日
時　間　　　　分		時　間　　　　分
解答日　　月　　日		解答日　　月　　日
時　間　　　　分		時　間　　　　分

タテのカギ

1. ある事象を説明する際に、必要以上の仮定をすべきでないという原則。中世英国の哲学者より「○○○○の剃刀」という
2. 緑茶色を帯びた灰色、○○○○色
3. 重箱読みの反対は○○○読み
4. 男はいごっそう、女ははちきんといえば、○○(の)国
5. 四次元の時空幾何学を用いてアインシュタインの特殊相対性理論を説いた、ロシア生まれのドイツの数学者
8. 「漢委奴国王」の金印出土で知られる博多湾口の陸続きの島
10. 「伊達騒動」を扱った山本周五郎の小説『○○ノ木は残った』
12. 1854年にアフリカーナーが南アフリカに建国した○○○○自由国。1902年、南アフリカ戦争敗戦で英国の支配下に
13. シーボルトの妻で幕末・明治の女医、楠本イネの母の名前
14. かずら橋、隠田集落で知られる徳島県の峡谷、○○渓
15. アルタイル、デネブとともに夏の大三角を成す恒星
16. 「狆」の読み

ヨコのカギ

1. ドイツ・オーストリアの神秘思想家・シュタイナーが創造した舞踊表現法
6. 甲殻類や昆虫の外皮、菌類の細胞壁の主要構成成分で、グルコサミンの重合体
7. ツルドクダミの漢名で「何首烏」と書く。塊根は漢方薬
9. 氷河の作用で形成されたイタリア北部の保養地、○○湖
11. 荘子の唱えた理想郷、○○○の郷
12. 蓮如が浄土真宗布教のために書いた手紙。御文章とも
13. 「万物の根源は水である」と説いた、古代ギリシャの「哲学の父」
14. 極めて堅物で融通のきかない人のたとえ
17. 『聖教要録』を著して朱子学を批判、赤穂に幽閉された儒学者で兵学者、○○○素行
18. 『悲しみよこんにちは』『勝手にしやがれ』に出演、セシル・カットで知られた女優、○○○・セバーグ

第14問 解答欄

1		2	3	4	5	
	■	6				■
7	8		■	9	10	
11			■	12		
■		■	13			■
14		15				16
17		■	18			

解答=130ページ

解答日　　月　　日	解答日　　月　　日
時　間　　　　分	時　間　　　　分

解答日　　月　　日	解答日　　月　　日
時　間　　　　分	時　間　　　　分

源氏、平氏、藤原氏と並ぶ名門?

タテのカギ

1. 平安・鎌倉時代の絵巻物などにみられる、独特な顔の描写技法を表す言葉
2. 僧の作業着。雑務のときに着る服のこと
3. 応仁の乱で山名宗全が陣を構えたことに由来する、京都の地名
4. 村上春樹の長編小説第1作は『〇〇の歌を聴け』
5. 江戸初期に中国から渡来した禅僧で黄檗宗の開祖。能書家としても知られる
8. 『列子(湯問)』で、鐘子期が琴の名手伯牙の音色をよく聴き分けた故事から、親友を表す言葉
10. 地球の深さ2900キロメートル以深から中心まで
11. 源氏、平氏、藤原氏と並ぶ名門、〇〇〇〇氏
13. 英国の経験論と大陸の合理論を統合して批判哲学を創始したドイツの哲学者
14. 「いかのぼり」に同じ
15. 考現学や生活学を提唱した社会学者、〇〇和次郎

ヨコのカギ

1. 『睡蓮』で知られるモネの数少ない人物画『散歩・〇〇〇をさす女』
3. 思うようにいかない、効果に乏しいことのたとえ、〇〇〇から目薬
6. 老荘思想で人間や政治の理想的あり方を表す四字熟語
7. 絵画・彫刻・文学などで、作者の持つ専門的な表現技巧を表すフランス語
9. 物事はまず言い出した者から着手せよ、という意味の故事成語「〇〇より始めよ」
10. 人生の栄枯盛衰のはかなさを説いた「〇〇〇〇の夢」、〇〇〇〇とは中国・戦国時代の趙の都
12. 正式名を慈照寺という、〇〇〇〇寺
14. コロンブスが最初に欧州に持ち帰ったとされる、人体に有害な植物の代表
16. 「今日の日本を知るためには応仁の乱以降の歴史を知っていれば沢山」という趣旨の発言でも知られる、戦前を代表する東洋史学者。本名は虎次郎

第15問 解答欄

1		2	■	3	4	5
	■	6				
7	8		■		■	
9		■	10		11	
12		13		■		■
	■		■	14		15
16						

解答=130ページ

解答日	月	日	解答日	月	日
時　間		分	時　間		分

解答日	月	日	解答日	月	日
時　間		分	時　間		分

マダガスカル島固有の霊長類?

タテのカギ

1. 6月19日は桜桃忌。桜桃とはサクランボの生る木、または〇〇〇〇〇の異称
2. ケプラーの法則につながる天体観測を行った、デンマーク生まれの天文学者、ティコ・〇〇〇〇
3. 〇〇の一声。掃き溜めに〇〇
4. スペイン風邪により28歳で夭折したオーストリアの画家、エゴン・〇〇〇
5. アポロンの聖地デルフィにある泉。アポロンの求愛を拒否して身を投じたニンフの名前に由来
8. ジャクソンを州都とする米国の州
10. 横・縦・高速などの種類がある、「火の玉投手」ボブ・フェラーも得意とした球種
12. 『悪魔の辞典』で知られる米国の文筆家、アンブローズ・〇〇〇
16. 「幻の魚」といわれる、日本最大の淡水魚
18. 天山山脈を水源とし、中国の新疆ウイグル自治区とカザフスタンを流れる〇〇川

ヨコのカギ

1. マルクス主義の歴史観
6. フランスの文法学者が創立した出版社、〇〇〇〇書店。百科事典で世界的に知られる
7. 手札から3枚以上の組み合わせを作って手札をなくした者が勝つ、麻雀と同じ構造のカードゲーム
9. 漢字で「萵苣」と書く野菜
11. 市場ではブラックタイガーと呼ばれる魚介類
13. 和名を「紫丁香花」という植物のフランス語名
14. 成瀬巳喜男監督、原節子主演で映画化された、林芙美子の未完の絶筆
15. マダガスカル島固有の霊長類
17. 孤児の成長を描いたチャールズ・ディケンズの小説『オリヴァー・〇〇〇〇』
19. 『アルプスの少女ハイジ』を著したスイスの児童文学者、ヨハンナ・〇〇〇
20. 「鬨の声」を意味する、〇〇〇クライ

第16問 解答欄

1		2	3	4	5	
	■	6				■
7	8		■	9		10
11			12	■	13	
14		■	15	16		
■	17	18			■	
19			■	20		

解答=130ページ

解答日　　月　　日	解答日　　月　　日
時　間　　　　分	時　間　　　　分
解答日　　月　　日	解答日　　月　　日
時　間　　　　分	時　間　　　　分

フィンランドの民族叙事詩?

タテのカギ

1. 約20年の景気循環を唱えたことでも知られるノーベル経済学賞受賞者
2. 中国産のウリ科植物で甘味料・生薬として用いられる〇〇〇果
3. 西太后の時代に名がついた北京西郊・昆明湖に臨む大庭園で世界遺産
4. 映画『風と共に去りぬ』でオハラ家が所有する農園の名
7. 岡崎味噌、三州味噌ともいう辛口の〇〇〇〇〇味噌
8. 現在、ソルという通貨単位が唯一使用されている国
10. 市川猿之助、市川段四郎の屋号、〇〇〇〇屋
11. アルハンブラ宮殿で有名な、スペイン南部・アンダルシア地方の都市

ヨコのカギ

1. 高句麗、新羅と三国を形成した古代朝鮮の国。倭・大和王朝と提携
3. ニケーア公会議ではアリウス派、エフェソス公会議ではネストリウス派がこれだとされた
5. フィンランドの民族叙事詩
6. 煩悩を断じて絶対的な静寂に達した状態。梵語ではニルヴァーナ
9. 軍隊の礼式で捧げ銃の「銃」の読み
10. 昭和基地がある南極大陸沿岸の島、東〇〇〇〇島
12. 日本の神話で、大和政権に服従しなかったという辺境の民の蔑称
13. 古代エジプトの太陽神
14. 仏教で布施、または財物を施し与える信者を呼ぶ語
15. 和歌でしばしば男女の逢瀬にかけて使われる、〇〇〇〇の関
16. 囲碁でどちらの地にもならない空所

第17問 解答欄

1		2	■	3	4	
	■	5				■
6	7		■		■	8
9		■	10		11	
12				■	13	
■		■	14			■
15				■	16	

解答=130ページ

解答日　　月　　日	解答日　　月　　日
時　間　　　　分	時　間　　　　分
解答日　　月　　日	解答日　　月　　日
時　間　　　　分	時　間　　　　分

官職にありながら
職責を果たさないこと?

タテのカギ

1. 元来は「見られたもの、姿、形」の意で、プラトン哲学の中心概念

2. 官職にありながら職責を果たさないことを表す、「尸」という漢字で始まる四字熟語

3. 外来魚のタイワンドジョウ、カムルチーの通称

4. 安部公房が1964年に発表した『砂の女』に続く長編小説、『他人の〇〇』

5. 幼少期より犯罪と放浪を繰り返し、詩『死刑囚』、小説『泥棒日記』などを著した背徳の作家、ジャン・〇〇〇

9. インド、イスラム圏で主に食べられている成長した羊の肉

11. 「カエサル」に由来する、帝政ロシアの君主の称号

12. ラテン語で倫理学という意味の、スピノザの主著

13. 亜大陸ともいわれるインド半島の大半を占める〇〇〇高原

15. 南禅寺は京都〇〇〇の上

ヨコのカギ

1. 1940年に『世界最終戦論』を著した、満州事変と満州国建設を指揮した関東軍参謀

6. 代表曲は『センチメンタル・ジャーニー』『ケ・セラ・セラ』。米の歌手・女優のドリス・〇〇

7. 木星の第1衛星

8. 日本最初の算術書『塵劫記(じんこうき)』に記された数の単位で、那由他(なゆた)と恒河沙(ごうがしゃ)の間

9. 『草上の昼食』『オランピア』で知られる印象派の画家

10. 「マーメイド号」「オケラ五世号」といえば日本人が操って世界的名声を得た〇〇〇の名前

12. 『はてしない物語』『モモ』を著した、ミヒャエル・〇〇〇

14. 梵語で「雨・雨期」の意。僧が一定の間遊行に出ずに一箇所で修行すること

16. 彫刻家・ロダンの代表作の一つ『〇〇〇の市民』

17. 聖書で「乳と蜜の流れる場所」と描写される、「約束の地」

18. 『戦場にかける橋』『アラビアのロレンス』で知られる映画監督、デヴィッド・〇〇〇

第18問 解答欄

1	2		3	4		5
6		■	7		■	
8				■	9	
■		■	10	11		■
12		13	■	14		15
	■	16			■	
17			■	18		

解答=131ページ

解答日　　月　　日　　　　解答日　　月　　日

時　間　　　　分　　　　時　間　　　　分

解答日　　月　　日　　　　解答日　　月　　日

時　間　　　　分　　　　時　間　　　　分

凱旋門賞レースの開催競馬場?

タテのカギ

1. 夏目漱石の最晩年の言葉で、宗教的な悟りを表すとも文学観を表すともいわれる言葉
2. 映画などに名優がちらっと出演する、○○○出演
3. 近江八景の一つ、○○の夕照（せきしょう）
4. 19世紀末〜20世紀初頭には日本に亡命していた、中国革命の父
6. 「鞦韆」とはこの遊具のこと
8. ヘレニズム時代という概念を初めて用いたドイツの歴史家
9. 旧称はバタヴィア。現在は世界有数の人口を誇る都市
12. 泉質はその名の通り酸性の硫黄泉、青森県にある○○○温泉
14. C・ディオールが1955年に発表したシルエット、○○ライン
15. 太平洋に存在したといわれる伝説の○○大陸

ヨコのカギ

1. 上海、天津など中国の開港都市に設けられた外国人居留地
3. 皇嗣が天皇の位を受け継ぐこと。桓武天皇の時代より即位と区別されていたが、現行の皇室典範には「即位」のみ規定
5. 吉野川で衣を洗う若い女人の白い脛を見て神通力を失い、飛行中に墜落したという伝説が遺る、○○の仙人
6. 新約聖書マタイ伝に由来することわざ「○○に真珠」
7. 貧しい踊り子から東ローマ皇帝ユスティニアヌス1世の妃となり、国政に関与した皇后
9. 石川県金沢の郷土料理でとろみをつけた鴨肉の煮物、○○煮
10. 凱旋門賞レースの開催地として知られる、フランスの○○○○○競馬場
11. 代表的なものには浜名湖や宍道湖がある
13. 映画『愛染かつら』の主題歌、「花も嵐も」の歌いだしで知られる「旅の○○○」
14. セイヨウハルニレ、またはハルニレの英名
16. イノベーションという概念を定義した、オーストリア生まれの経済学者

第19問 解答欄

1	2		■	3		4
5		■	6		■	
7		8		■	9	
	■	10				
11	12			■		■
13			■	14		15
16						

解答=131ページ

解答日　　月　　日	解答日　　月　　日
時　間　　　　分	時　間　　　　分
解答日　　月　　日	解答日　　月　　日
時　間　　　　分	時　間　　　　分

「百万遍」の別名で知られる京都の寺?

タテのカギ

1. 米国の科学史家、T・クーンにより提唱された〇〇〇〇〇概念。後に拡大解釈されてビジネス用語等にも広がった
2. ローマ帝政において無産市民の歓心を得るため提供された「〇〇と見世物」
3. 1940年に発見された南仏・〇〇〇〇の洞窟壁画遺跡
4. 「百万遍」の別名で知られる、京都の〇〇〇寺
5. 1899年にフィリピン共和国を樹立し大統領となった、フィリピン革命の最高指導者
9. 『デカメロン』を著した14世紀イタリアの小説家、詩人
11. 地理学の用語で、地球上で人類が永続的に居住している領域のこと
12. 米国の小説家・ホーソーンが清教徒社会の本質を描いた代表作
15. 史論『愚管抄』で知られる平安末～鎌倉初期の僧

ヨコのカギ

1. 映画『甘い生活』に出てくる報道カメラマンの名に由来する言葉
6. 歴代国王の即位式を行った大聖堂でも知られる、フランス北東部の都市
7. 『一寸法師』『浦島太郎』は『〇〇〇草子』の一編
8. 『荘子』の故事から、妻に死に別れること
10. 日本の能を取り入れた作風でも知られる、アイルランドの詩人・劇作家
12. 『明日に向って撃て!』『スティング』が代表作、ジョージ・ロイ・〇〇監督
13. 仏教用語では煩悩を離れてけがれのないことの意
14. ユゴーの小説『ノートル=ダム・ド・パリ』の主人公の鐘つき男
16. 旧制高校生がよく使っていた言葉で、ドイツ語で「少女、娘さん」の意
17. 中央アジアのパミール地方は「世界の〇〇」と呼ばれる
18. 仏教で五戒の一つ、不飲酒戒の「飲酒」の読み

第20問 解答欄

1	2	3		4	■	5
6			■	7		
	■	8	9		■	
10	11			■	12	
13		■	14	15		
■	16					■
17		■	18			

解答=131ページ

解答日 　月　　日	解答日 　月　　日
時　間　　　分	時　間　　　分
解答日 　月　　日	解答日 　月　　日
時　間　　　分	時　間　　　分

ルーズベルト、チャーチル、スターリンが行った会談？

タテのカギ

1. 司馬遼太郎の小説『菜の花の沖』の主人公である江戸時代の廻船業者
2. 沖津宮・中津宮・辺津宮の三宮から成る、福岡県の〇〇〇〇大社
3. ジャンバラヤやガンボが有名、アメリカ南部の〇〇〇〇〇料理
4. 米の作家、ル＝グウィン作のファンタジー小説シリーズ『Earthsea』の邦題、『〇〇戦記』
6. 「永字八法」の運筆法で横画の祖を表す言葉
8. ハクジラ類のうち小形種の総称
9. 律令制で最も重い流罪で、延喜式では伊豆・安房・佐渡・隠岐などに流すこと
12. レア・アースともいわれる〇〇〇〇元素。スカンジウムとイットリウムにランタノイドを加えた17元素の総称
14. 「四面楚歌」や虞美人のエピソードでも知られる秦末の武将
15. 奈良時代の『古風土記』の羽衣伝説でも知られる滋賀県北部の〇〇湖

ヨコのカギ

1. 漢字では「塔里木」、中国・西域に位置する〇〇〇盆地
3. 「怪訝」の読み
5. ロシア語で人民、大衆。19世紀後半、ロシアに起こった民衆啓蒙運動のスローガン「ヴ・〇〇〇〇」
7. 日本の南北朝時代、北朝の持明院統に対し、南朝は〇〇〇〇〇統
10. 1945年2月、ルーズベルト、チャーチル、スターリンが行った〇〇〇会談
11. 第二次大戦中、マンハッタン計画の拠点の一つで、原爆開発を機密にするために名付けられたシカゴ大学の〇〇〇研究所
13. 口を大きく開き大声で笑うこと、〇〇大笑
14. 鹿鳴館やニコライ堂などを手掛けた英の建築家
15. 律令制の税の一つで、労働力提供の代納物の意味
16. 世界は意味も目的もなく、終わりなく繰り返す円環運動であるという、ニーチェ哲学の根本思想

第21問 解答欄

1		2	■	3	4	
	■	5	6			■
7	8				■	9
10		■		11	12	
13		■	14			
	■	15		■		■
16						

解答=132ページ

解答日　　月　　日　　　　　解答日　　月　　日

時　間　　　　分　　　　　時　間　　　　分

解答日　　月　　日　　　　　解答日　　月　　日

時　間　　　　分　　　　　時　間　　　　分

仏教の出家者の集団を表す梵語?

タテのカギ

1. リンカーン大統領の有名な演説「人民の人民による人民のための政治」が行われた地
2. 仏教の出家者の集団を表す梵語。僧伽に同じ
3. 『菅原伝授手習鑑』の時平は、歌舞伎の〇〇悪の代表
4. 明治初期のはやり歌「〇〇〇〇頭を叩いてみれば文明開化の音がする」
5. 最近流行のSNSの名前にもある、新生代第四紀更新世に絶滅したゾウ類の総称
6. 言語学・記号論・論理学の一分野、〇〇論
11. フランスの作家、ペローの『童話集』に出てくる、6人もの妻を殺した殺人鬼
13. メンデレーエフが唱えた元素の周期律を実証したエピソードで知られる、1875年に発見された元素
15. 良質の赤ワイン産地として知られる、スペイン北部の地名
17. 『論語』所収の言葉。民〇〇無くば立たず

ヨコのカギ

1. 曲亭馬琴を主人公とする、芥川龍之介の小説
7. 囲碁のタイトル戦名にもある、碁盤の面の中央にある黒い星印
8. バロネス・オルツィが生んだ名探偵、〇〇の老人
9. 忍者の二大流派といえば、甲賀流と〇〇流
10. 「特別な能力、天賦の才能」という意味もある英語
11. 大勢の行列が途切れない様子「〇〇の熊野参り」
12. 踊り子・競馬の絵で知られるフランス印象派の画家
14. フィリピンで「夏の首都」とも呼ばれる高原都市
15. キルケゴールが説いた実存の三段階とは美的実存、〇〇〇的実存、宗教的実存の三つ
16. 昔ながらの発酵調味料「醤」の読み
18. F・L・ライトの設計による「かたつむりの殻」と呼ばれる外観も特徴的な、ニューヨークの〇〇〇〇〇〇〇美術館

第22問 解答欄

1	2	3	4		5	6
7				■	8	
9		■	10			■
	■	11		■	12	13
14			■	15		
	■	16	17		■	
18						

解答=132ページ

解答日　　月　　日	解答日　　月　　日
時　間　　　　分	時　間　　　　分
解答日　　月　　日	解答日　　月　　日
時　間　　　　分	時　間　　　　分

ドイツ語で シュトルム・ウント・ドラング？

タテのカギ

1. 兵庫県高砂神社のものが有名な、夫婦和合の象徴とされる植物

2. 絶対〇〇〇はおよそマイナス273.15℃

3. 子供服の適用年齢表示の用語としては3歳〜7歳頃を指す言葉

4. 数年以上にわたって夏季も0℃以下で凍結している、永久〇〇〇

6. 相撲の土俵で東西南北の中央に俵の幅だけ外側にずらしてある俵

8. 未熟の梅の実の果皮をいぶした生薬。下痢止めや駆虫などの効能がある

9. 平安時代以降、紫宸殿の南階下の西方に植えた、〇〇〇の橘

13. 「檀」の読み。主に弓を作る材料にしたことからいう

15. 舞台、映画の『ライオンキング』の主人公の名

16. 梵語ではカルマ。果報の対語

ヨコのカギ

1. 全体主義の本質の研究で知られる、ドイツから米国に亡命した政治哲学者、ハンナ・〇〇〇〇〇

5. ドイツ語でシュトルム・ウント・ドラング、日本語では疾風〇〇〇

7. 「五族協和」とともに、満州国建国の際の理念としても知られる四字熟語

10. 煩悩や欲情、妄念の抑えがたいことをたとえた四字熟語、〇〇心猿

11. 楽曲や楽章の終わり、しめくくりの部分を表す音楽用語

12. 現在のコンピュータの基本的構造を提案した米の数学者、フォン・〇〇〇〇

14. コウゾやミツマタなどが主原料

16. シリア南西部にある、イスラエル・レバノン・ヨルダンとも国境を接する〇〇〇高原

17. 太宰治の短編『富嶽百景』の有名な一節「富士には〇〇〇〇〇がよく似合う」

第23問 解答欄

1		2		3		■	4
	■		■	5	6		
7	8		9				
10		■	11				■
12		13		■	14	15	
	■		■	16			
17					■		

解答=132ページ

解答日　　　月　　　日	解答日　　　月　　　日
時　間　　　　　　分	時　間　　　　　　分
解答日　　　月　　　日	解答日　　　月　　　日
時　間　　　　　　分	時　間　　　　　　分

宗教上の「教義、教条」や「独断的な説・意見」?

タテのカギ

1. ドイツのヤスパース、ハイデガー、フランスのサルトル、マルセルに代表される哲学的立場の総称
2. 漢字で「熊啄木鳥」と書く鳥。「キョーンキョーン」と鳴く
3. 落語用語で、その芸人独特のなんともいえないおかしみのこと
4. 『第三の男』『オリバー!』が代表作、ナイトの称号も贈られた英国の映画監督、キャロル・○○○
5. 主に関ヶ原の戦後に徳川家に臣従した、○○○大名
9. 『ブリキの太鼓』などで知られるドイツのノーベル賞作家、ギュンター・○○○
11. 南米に産するモチノキ科の常緑樹。葉は○○茶として飲用にする
13. 項羽と劉邦の戦いに由来する四字熟語、○○○楚歌
15. 神社、陶磁器、蕎麦などで知られる、兵庫県豊岡市の地名
16. 同時期に発見された天王星にちなんで名付けられた放射性元素
18. 位階で、同等級において正の下に位することを表す語

ヨコのカギ

1. ゲルマン民族の神話上の英雄で、ワーグナーの代表作『ニーベルングの指環』四部作の3作目のタイトル
6. フランスの革命家でジャコバン派の指導者。対立するジロンド派の女性により暗殺された
7. 太平洋戦争開戦前後に発覚したスパイ事件の中心人物、リヒャルト・○○○
8. 宗教上の「教義、教条」や、「独断的な説・意見」を表す語
10. チベット仏教の高僧
12. 黄道十二星座の一つで首星はレグルスといえば○○座
14. 科学用語でアボガドロ、ファラデー、プランクといえばこの数
17. 大正期に一世を風靡した浪漫的画家で詩人、竹久○○○
19. 中世の欧州で地域によってトルベール、トルバドゥール、ミンネジンガーなどと呼ばれていた人々の総称

第24問 解答欄

1		2	3	4		5
	■	6			■	
7			■	8	9	
	■	10	11	■		■
12	13	■	14	15		16
17		18	■		■	
19						

解答=133ページ

解答日　　　月　　　日　　　　　解答日　　　月　　　日

時　間　　　　　　分　　　　　　時　間　　　　　　分

解答日　　　月　　　日　　　　　解答日　　　月　　　日

時　間　　　　　　分　　　　　　時　間　　　　　　分

デッサン用の石膏像でも おなじみの古代ローマの武将?

タテのカギ

1. 旧約聖書に出てくるペリシテ人の巨人戦士。ダビデによって殺された

2. フランスの精神分析学者・思想家で、ジル・ドゥルーズとの共著『アンチ・オイディプス』などで知られるフェリックス・〇〇〇

3. バレエ用語で「すり足、追いかける」の意で、位置を変えるためのパ(ステップ)の一つ

4. 『理性と実存』『哲学』『ニーチェ』等の著書があるドイツの哲学者

5. 東京駅近くの地名「八重洲」の由来となったとされる、徳川家に仕えたオランダ人

8. ドイツの航空研究の先駆者、リリエンタールが開発した乗り物

11. ナチス・ドイツが健全な「ドイツ芸術」に対し、近代芸術運動を禁止するために命名した語、〇〇〇〇芸術

13. 旧約聖書に記されたアダムとイブの長子でアベルの兄

15. 旧約聖書に出てくる王国。女王がソロモン王のもとを訪れたという逸話で有名

16. 有機化合物の幾何異性に使われる接頭語。トランスと対になるもので、ラテン語の「こちら側に」に由来

ヨコのカギ

1. ガンジス川の無数の砂の意で、数の単位では極と阿僧祇の間

6. 江戸城で、御三卿の名前がついている門の一つ

7. デッサン用の石膏像でもおなじみ、アクティウムの海戦で活躍した古代ローマの武将

9. 1兆倍を表す接頭語。ギガの上

10. アラン、カウチン、フィッシャーマンズ、サマーなどの種類がある衣服

12. 最大のものは「大王」と冠される軟体動物

14. ロマンシュ語を含む4つの公用語がある欧州の国

15. 平安時代の高僧、最澄・空海・円仁・円珍の総称

17. アイザック・ディネーセンの小説『アフリカの日々』を原作としたアカデミー作品賞受賞作品『愛と哀しみの〇〇』

18. ミュージカル『ウエスト・サイド物語』などを手掛けた指揮者、作曲家のレナード・〇〇〇〇〇〇〇

第25問 解答欄

1		2	3	4	■	5
	■	6				
7	8				■	
9		■	10		11	
■	12	13	■	14		
15			16		■	17
18						

解答=133ページ

解答日	月	日		解答日	月	日
時　間		分		時　間		分

解答日	月	日		解答日	月	日
時　間		分		時　間		分

俳句では行々子と詠まれる鳥?

タテのカギ

1. 詩集『我が一九二二年』所収の、佐藤春夫の有名な詩「〇〇〇の歌」。谷崎潤一郎の妻・千代への思慕を綴った

2. イタリア語で「神の家」の意で、街の大聖堂のこと

3. 電気アイロンの普及以前、中に炭火を入れて布のしわをのばした器具

4. 鳴き声から俳句では行々子と詠まれる鳥

5. 冥土、黄泉の国と同じ意味、泉の〇〇

7. 禅宗で余念を交えず、ひたすら座禅することを表す四字熟語

9. 江戸幕府で火付盗賊改などを務め、市中を警戒した〇〇〇組

12. 訓読みが正式といわれる旧官幣大社、富士山本宮〇〇〇〇大社

13. 漢字では「錣」や「錏」などと書く、兜の鉢の左右から後方に垂れて頸（くび）を覆うもの

15. 代表作『君の名は』『がめつい奴』など。劇作家・演出家の〇〇〇一夫

16. サケやクジラなどの頭部の、透明で柔らかい軟骨

17. 朱子学の宇宙論、〇〇説

ヨコのカギ

1. 詩人ミュッセ、音楽家ショパンとの恋愛で知られるフランスの女性作家、ジョルジュ・〇〇〇

3. 豊臣秀吉の幼名、〇〇〇丸

6. ムニエルなどの食材で有名なシタビラメの正式名

8. 忌日を獺祭忌（だっさいき）、糸瓜忌（へちまき）という俳人・歌人

10. 陰陽道で艮（うしとら）の方角

11. アリストテレスの学校、リュケイオンに由来する、フランスの教育機関

13. 能や狂言の主役

14. 世界最大は南米のイグアス

16. 十返舎一九「東海道中」、仮名垣魯文「西洋道中」の後に共通して続く言葉

18. アフリカ南部の旧英国植民地、ローデシアの名の由来である政治家、セシル・〇〇〇

19. アウン・サン・スー・チーの父、アウン・サンが書記長を務めた「われらビルマ人協会」の別称、〇〇〇党

第26問 解答欄

1		2	■	3	4	5
	■	6	7			
8	9					■
■	10			■	11	12
13		■	14	15	■	
	■	16			17	
18			■	19		

解答=133ページ

解答日　　月　　日	解答日　　月　　日
時　間　　　　分	時　間　　　　分
解答日　　月　　日	解答日　　月　　日
時　間　　　　分	時　間　　　　分

英語では
ハウンド・トゥース?

タテのカギ

1. 鎌倉中期の歌人、阿仏尼が死没した夫の領地相続について幕府に訴えるため、京都から鎌倉に下ったときのことを書いたもの
2. 時期に遅れて役に立たないことの例え、〇〇〇の菖蒲、十日の菊
3. 『ドン・キホーテ』をもとにしたミュージカル『〇・〇〇〇〇の男』
4. 寿司店の符丁でショウガのこと
5. 別名をキンキという深海魚
8. 新潟の新津駅から秋田駅を結ぶ、〇〇〇本線
9. 学術書『永遠回帰の神話』『聖と俗』、小説『妖精たちの夜』『マイトレイ』などで知られるルーマニアの宗教学者・作家
13. 数々の皮肉交じりの名言でも知られる劇作家で批評家、バーナード・〇〇〇
15. 代表作は『悲しみよこんにちは』。フランソワーズ・〇〇〇
16. 紳士録のこと。〇〇ズ・〇〇

ヨコのカギ

1. 新田義貞が鎌倉攻めの際、剣を投じたという伝説で知られる岬
6. 有田焼の通称、〇〇〇焼
7. 元来は文字通り羊の肉を使った料理を意味した和菓子
9. 律令制で諸国から毎年交替して上洛し、都を守った兵士
10. イプセン作の戯曲『人形の〇〇』
11. 英語ではハウンド・トゥース、〇〇〇格子
12. 鬼の霍乱の霍乱とはふつう〇〇〇〇病の古称
14. 学名カンナビス・サティバ。日本では第2次大戦前まで主要農産物だった植物
16. 遁走曲といわれる、楽曲の一形式
17. 1760年ごろに起源をもつ、ロンドン南西部にある王立植物園。現在は世界文化遺産

第27問 解答欄

1		2	3	4		5
	■	6			■	
7	8			■	9	
10		■	11			■
12		13		■	14	15
	■		■	16		
17						

解答=134ページ

解答日　　　月　　　日	解答日　　　月　　　日
時　間　　　　　分	時　間　　　　　分

解答日　　　月　　　日	解答日　　　月　　　日
時　間　　　　　分	時　間　　　　　分

夕方の薄暗いときを指す
まがまがしい表現？

タテのカギ

1. 夕方の薄暗いときを指すまがまがしい表現、〇〇〇が時
2. 短歌の異称
3. ことわざ「〇〇で鯛を釣る」
4. 大正初期、山本権兵衛内閣を総辞職に追い込んだ贈賄事件、日本史上では〇〇〇〇〇事件という
5. ヒトラーの『我が闘争』の獄中での口述筆記をした側近、ルドルフ・〇〇
8. 「鉈」の読み
10. 仏教の三毒。人間の三種の根本的な煩悩を表す漢字3文字
13. 商いをおろそかにし遊芸にふける跡継ぎを皮肉った川柳「売り家と〇〇〇〇で書く三代目」
14. 古名を「荏」という食用草
16. 隋に始まり清末まで続いた中国の官吏登用試験
18. 「粥」の読み

ヨコのカギ

1. 漢方では根を乾かして利尿剤とする、秋の七草の一つ
6. 「鶯」の読み
7. ギリシア神話のアフロディテと同一視されるローマ神話の女神
9. 天武天皇が制定した八色の姓の第1位
11. 対象言語の表現内容を述べる際に用いられる、〇〇言語
12. 1964年に起きた、米国の軍艦が北ベトナムの魚雷艇に攻撃を受けたとされる〇〇〇〇湾事件。後にねつ造が発覚
14. 英語ではピクトグラフまたはピクトグラム
15. イタリア・ミラノにある1778年開場の歌劇場、〇〇〇座
17. とくに伊豆大島・三原山の噴火・噴煙を指す語
19. 夏目漱石『坊ちゃん』で、主人公の家の下女
20. もと『礼記』中の一編で儒教の諸文献中、最も思弁的とされる経書

第28問 解答欄

1	2		3	4	■	5
6		■	7		8	
9		10	■	11		■
■	12				■	13
14			■	15	16	
17			18	■	19	
	■	20				

解答=134ページ

解答日　　月　　日	解答日　　月　　日
時　間　　　　分	時　間　　　　分
解答日　　月　　日	解答日　　月　　日
時　間　　　　分	時　間　　　　分

年魚、香魚ともいわれる魚?

タテのカギ

1. ムハンマドの出生地でカーバ神殿がある、イスラム教第1の聖地
2. 三重県、名張川の支流、丈六川にある〇〇〇四十八滝
3. 地名はアイヌ語の「我らが発見した土地」に由来するといわれる北海道の市
4. 囲碁の対局で、先手が有利なために課せられるハンディキャップ
6. 漢字で「玳瑁」と書く海の動物
8. 漢字で「就中」と書く副詞
9. 呉陵軒可有らが編んだ川柳集、『誹風〇〇〇〇〇』
11. 社会学者デュルケームの用語で、社会の伝統的価値体系の崩壊によって人々の欲求や行為が無規制状態になること
12. バブル時代に超高額で日本に渡ったことでも知られるゴッホ晩年の作『医師〇〇〇の肖像』
13. 文語文で「ぞ、なむ、や、か、こそ」といえば〇〇〇結び
16. 年魚、香魚ともいわれる魚

ヨコのカギ

1. 古代ユダヤ人が待ち望んだ救い主で、「キリスト」はそのギリシャ語訳
3. 浄瑠璃・歌舞伎で平景清の愛人とされる清水坂の遊女
5. 漢字で「酢漿草」と書く雑草
7. 鹿島神宮の祭神タケミカヅチノカミが降臨したときに坐したという石。地震を防ぐと伝えられる
10. 地球で最も深いチャレンジャー海淵がある〇〇〇〇海溝
12. 孔門十哲の首位だったが師の孔子より早世した賢人。字は子淵
14. 日露戦争で旅順を攻略した司令官、〇〇希典
15. 源義経の愛妾で白拍子、〇〇〇御前
16. 西方浄土を主宰するという仏
17. ポスト構造主義の代表的哲学者、ジャック・デリダの主著『〇〇〇〇〇〇〇と差異』

第29問 解答欄

1		2	■	3	4	
	■	5	6			■
7	8				■	9
■		■	10		11	
12		13		■	14	
15			■	16		
17						

解答=134ページ

解答日　　月　　日　　　解答日　　月　　日

時　間　　　　分　　　　時　間　　　　分

解答日　　月　　日　　　解答日　　月　　日

時　間　　　　分　　　　時　間　　　　分

1840年、英国と清の間に起こった戦争?

タテのカギ

1. アイヌ語で「神」
2. 『喝采』でアカデミー主演女優賞を受賞、後にモナコ王妃となった、グレース・○○○
3. 青森県八戸市周辺に伝わる郷土料理で、ウニとアワビの吸い物
4. 1870年の普仏戦争の直接原因となった、ビスマルクが起こした○○○電報事件
7. 1840年、英国と清の間に起こった○○○戦争
9. テニスでラケット面を地面と垂直にして、握手をするように横から握る○○○○○・グリップ。主に硬式向きとされる
11. 古代ギリシャの故事にならって英国王室が称号を与えた○○○○詩人。ワーズワース、テニソンら
12. 1926年末にカタカナの「イ」の文字の送受像に成功した電子工学者・高柳健次郎は「日本の○○○の父」とも呼ばれる
13. 六観音のなかでも忿怒の相で知られ、江戸時代に広く信仰された○○○観音
15. ニラネギ、ポロネギともいわれる西洋野菜
17. 「柘植」の読み

ヨコのカギ

1. 春秋時代の呉と越の戦いの故事に由来する、以前に受けたひどい恥辱を意味する言葉。○○○○の恥
4. 哲学や心理学で「自我」を表すラテン語
5. 金属元素の中で最も軽いもの
6. シェークスピア悲劇『オセロ』で主人公オセロ将軍の旗手をつとめ、オセロを破滅に導く人物
8. 『史記』に出てくる、楚王・項羽の愛馬の名
10. 1863年にサモトラケ島から大理石像が発掘された、ギリシャ神話の勝利の女神
12. 考え方が自由奔放であるさまを示す言葉「○○○空を行く」
14. ギリシャ神話の虹の女神
16. バッハのオルガン曲『○○○○○とフーガ』
18. 日本での刊行は2000年、ジャレド・ダイアモンドの大著『銃・○○○○○○○・鉄』

第30問 解答欄

1		2	3	■	4	
	■	5				■
6	7			■	8	9
■		■	10	11	■	
12		13	■	14	15	
	■	16	17			
18						

解答=134ページ

解答日　　月　　日	解答日　　月　　日
時　間　　　　分	時　間　　　　分
解答日　　月　　日	解答日　　月　　日
時　間　　　　分	時　間　　　　分

フランスの哲学者で社会学の創始者?

タテのカギ

1. 自由民権運動の壮士節をルーツとする歌。のち流行歌の一ジャンルに
2. ギリシャ神話で、アポロンの求愛から逃れるため月桂樹に姿を変えた河神の娘
3. 「滑稽新聞」などで政府批判・風刺を行った反骨のジャーナリスト、宮武〇〇〇〇
4. 悪妻の代名詞として知られる、ソクラテスの妻
5. 砂と粘土との間の細かさの土。沈泥（ちんでい）とも
8. フランスの作家、モーリス・ルブランが生んだ怪盗
10. 仏教の「三蔵」とは、経、律とこれ
11. 乳を精製して得られる最も美味なもの。仏教の最高真理にたとえられる
12. 本名は壮吉。『濹東綺譚（ぼくとうきたん）』『断腸亭日乗』などを著した、永井〇〇〇
14. 心筋は不〇〇〇筋の代表
15. 足利義満が貿易を行い、豊臣秀吉が攻め入ろうと企てた中国の王朝

ヨコのカギ

1. アイスランド古典文学の代表的作品。韻文の古〇〇〇と散文の新〇〇〇がある
3. 学術上の功績顕著な学者150人から構成される、日本〇〇〇院
6. 国内の近代化を推進したが1975年に甥の王子により暗殺された、サウジアラビア国王
7. 代表作は『天井桟敷の人々』、フランスの映画監督マルセル・〇〇
9. フランスの哲学者で、社会学の創始者
10. ゲーテの小説『若きウェルテルの悩み』で主人公が恋する、友人の婚約者
11. アメリカの舞踊家でモダン・ダンスの祖といわれる、イサドラ・〇〇〇〇
13. 徳川将軍家光・家綱に使えた老中で、「知恵〇〇」と称された松平信綱
15. 1932年、血盟団事件で暗殺された團琢磨は当時、〇〇〇財閥の中心人物だった
16. 南満州鉄道初代総裁等を歴任した後、東京市長として関東大震災後の帝都復興計画に尽力した人物

第31問 解答欄

1		2	■	3	4	5
	■	6				
7	8		■	9		
■		■	10			■
11		12		■	13	14
	■		■	15		
16						

解答=135ページ

解答日　　　月　　　日	解答日　　　月　　　日
時　　間　　　　　　分	時　　間　　　　　　分
解答日　　　月　　　日	解答日　　　月　　　日
時　　間　　　　　　分	時　　間　　　　　　分

「始めは処女のごとく、後は脱兎の如し」といえば?

タテのカギ

1. 戦後、ノーベル文学賞や平和賞の候補になった、キリスト教社会運動家
2. 竹・柴などを粗く編んでつくった垣のこと。まがき
3. アンデス山地で荷物の運搬等に使役される家畜
4. メキシコ五輪で人類で初めて、100m走の電動計時で10秒を切ったランナー、ジム・〇〇〇〇
5. 易の八卦のもととなったと伝わる図
9. 昭和初期に起こった金融恐慌が激化した原因となった商社、〇〇〇商店
10. 「始めは処女の如く、後は脱兎の如し」といえば〇〇〇の兵法
12. 冬に聞こえる、「チャッチャッ」というウグイスの鳴き声
14. 紀元前2世紀前半に天山山脈北方からイリ地方に勢力を拡大し、漢と同盟した遊牧民族
15. 仏教で生死の海を渡って到達する終局のこと。煩悩を解脱した涅槃の境地

ヨコのカギ

1. 1919年に制作された、ドイツ表現主義映画の代表作
6. 詩人ポール・エリュアールの妻で、後に画家サルバドール・ダリの妻となった女性
7. 「灸」の「きゅう」以外の読みで、灸をすえる所
8. ストレプトマイシンの発見で、ノーベル賞を受賞した米国の微生物学者
11. 宋の詩人・杜黙の詩が多く律に合わなかったという故事に由来するといわれる語
13. 『長恨歌』にうたわれる美女。名は玉環
16. 「洛陽の紙価を高める」ことになったといわれる、『三都賦』の作者である西晋の詩人
17. 元素記号Asの、単体も化合物も猛毒の物質
18. 野口英世が亡くなったアクラは現在のこの国の首都
19. 仏教の宇宙観で、須弥山世界を支えているとされる
20. 赤道直下に位置する、エクアドルの首都

第32問 解答欄

1	2		3	4	5	
6		■	7			■
8		9			■	10
	■		■	11	12	
13	14		15	■	16	
17		■	18			■
19				■	20	

解答=135ページ

解答日　　　月　　　日　　　　解答日　　　月　　　日

時　間　　　　　分　　　　　　時　間　　　　　分

解答日　　　月　　　日　　　　解答日　　　月　　　日

時　間　　　　　分　　　　　　時　間　　　　　分

チャップリン初の
長編サイレント作品?

タテのカギ

1. 東晋の陶淵明が書いた、六朝第一の名文と称される散文作品

2. 第一次大戦後にヴェルサイユ条約の調印式が行われた、ヴェルサイユ宮殿の「○○○の間」

3. 太平のさま、極暑のさまをいう言い回し、「○○も揺るがず」

4. オーストリアの精神分析学者、フランクルが強制収容所体験を綴った作品『夜と○○』

5. エラリー・クイーン作『Xの悲劇』などで活躍する名探偵。名はロンドンの劇場街に由来

7. 幕末の武士、河井継之助が新政府軍との戦争で籠城した○○○○城

9. ゾロアスター教にキリスト教と仏教の要素を加え、3世紀に○○が創始した○○教

10. 浄土教で説いた、諸行往生に対する○○○○往生

11. 「水滸伝」「六花撰」に共通してつく江戸時代の元号

14. 湯川秀樹が1935年にその存在を予言した○○中間子

ヨコのカギ

1. 「蕉門十哲」の一人で芭蕉の没後、洒落風を起こし、江戸座を開いた俳人、宝井○○○

4. チャップリン初の長編である、1921年のサイレント作品

6. 俳諧で、一句のうちに季語が二つ以上含まれること

8. 日本神話で、イザナミノミコトが死後に住んだ国

9. バマコを首都とするアフリカ内陸の共和国

10. アホロートル(ウーパールーパー)などで見られる、日本語で幼形成熟といわれる現象

12. 長崎の旧グラバー邸などに代表される建物

13. 『開かれた社会とその敵』などでマルクス主義やファシズムを批判した哲学者、カール・○○○

15. 平家滅亡後、建礼門院が隠棲していた尼寺

第33問 解答欄

1	2	3	■	4		5
6			7		■	
8		■		■	9	
	■	10		11		
12					■	
	■		■	13	14	
15						

解答＝135ページ

解答日	月	日		解答日	月	日
時　間		分		時　間		分
解答日	月	日		解答日	月	日
時　間		分		時　間		分

米国の首都、ワシントンD.CのC？

タテのカギ

1. 蜀山人、寝惚先生などとも称した江戸時代の狂歌師・戯作者の〇〇〇南畝
2. 蛇に似て、4脚を持ち、毒気を吐く想像上の動物
3. 旧ソ連、ブレジネフ時代にとくに盛んになった、政治風刺の小話
4. 小説『ユートピアだより』でも知られる英国の詩人・工芸美術家・社会改革家のウィリアム・〇〇〇
7. 白鳥の飛来地として知られる新潟県阿賀野市の湖で、ラムサール条約の登録湿地
9. 米国の首都、ワシントンD.C.のC
10. 古典落語の演目の一つ、『居残り〇〇〇〇』
11. 古代ギリシャにおいて政治・経済・文化の中心地ともなった、都市の広場

ヨコのカギ

1. 江戸初期の儒学者、中江藤樹の異称、〇〇〇聖人
3. 太陽神ラーと同一視された、古代エジプトのテーベの守護神
5. 相撲の技の一つで、頭を相手の肩につけて差し手を抱え込むか肘をつかむなどして繰り出す、めったに見られない技
6. 画家ゴーギャンが晩年を過ごした地
8. インカ帝国の首都
10. 代表作は『悪徳の栄え』、フランス革命期の貴族で作家、〇〇侯爵
11. 「止揚」と訳される、ヘーゲル哲学の用語
12. 後漢・晋の頃に中国本土に侵入した異民族の総称。匈奴・羯・鮮卑・氐・羌
13. 琴や三味線の弦のこと
14. 中国・戦国時代の屈原が大成した文学
15. かつてニュージーランドにいたが、数百年前に絶滅した巨鳥

第34問 解答欄

Challenge!
CROSSWORD

1		2	■	3	4	
	■	5				■
6	7		■	8		9
■		■	10		■	
11						
12		■	13		■	
	■	14		■	15	

解答＝136ページ

解答日　　　月　　　日	解答日　　　月　　　日
時　　間　　　　　　分	時　　間　　　　　　分
解答日　　　月　　　日	解答日　　　月　　　日
時　　間　　　　　　分	時　　間　　　　　　分

第35問 ギリシャ語で「1」の意?

タテのカギ

1. 2世紀にアレクサンドリアで活躍し、天動説を唱えた天文・地理・数学者
2. 第二次大戦後、連合軍がナチス・ドイツの主要戦犯を裁くために開かれた○○○○○○裁判
3. 仏教で、四果のうち阿羅漢果を除く、さらに修行を必要とする段階
4. 文房四宝の一つ
5. 独仏国境に作られ、第二次大戦中にドイツ軍により破壊されたフランスの要塞線
7. ミヒャエル・エンデの代表作で、不思議な少女が奪われた時間を取り戻すというお話
9. 元来は足で地をするようにめぐり回る動作のこと
12. 映画『オルフェ』、小説『恐るべき子供たち』のほか、評論家・画家・映画監督など多彩な活躍をしたジャン・○○○○
14. ギリシャ七賢人の一人で、アテナイの立法者で詩人

ヨコのカギ

1. 莫大な項目を記述した『博物誌』を著した、古代ローマの博物学者で軍人
6. 『徒然草』に出てくる歌「二つ文字牛の角文字直ぐな文字」に続く、ひらがなの「く」を表す言葉
8. 反戦小説『西部戦線異状なし』を書き、米国に亡命したドイツの小説家
10. ギリシャ語で「1」の意
11. ゲーテの生地で巨大空港でも知られるフランクフルトの正式名は、フランクフルト・アム・○○○
13. 『時間と自由』『物質と記憶』『創造的進化』を著したフランスの哲学者
15. 『仮名手本忠臣蔵』で早野勘平の妻
16. 静岡市にある弥生時代後期の有名な遺跡、○○遺跡
17. J・F・ケネディ国際空港がある、米ニューヨーク市の○○○○○区

第35問 解答欄

1		2	3	4	■	5
	■	6			7	
8	9			■	10	
11			■	12	■	
	■	13			14	
15			■	16		■
	■	17				

解答=136ページ

解答日　　　月　　　日	解答日　　　月　　　日
時　間　　　　　　分	時　間　　　　　　分
解答日　　　月　　　日	解答日　　　月　　　日
時　間　　　　　　分	時　間　　　　　　分

後鳥羽上皇・後醍醐天皇が流された地?

タテのカギ

1. 歌誌『心の花』主宰者で歌集『思草』などで知られ、第1回文化勲章受章者でもある歌人・歌学者
2. ある動物の名前がつけられた、鉄道のレールを枕木に固定するもの
3. 後鳥羽上皇・後醍醐天皇が流された地
4. アフリカの森林にすむ、ブッシュベイビーともいわれる原猿
5. ウェーバー作曲の歌劇『○○○の射手』
8. カナダの作家、L・M・モンゴメリの代表作『○○○のアン』
9. 歌舞伎で男女の恋愛や情事の場面のこと
11. トルコ生まれの英国の実業家で、第一次世界大戦では諸国に軍需品を売り込み「死の商人」と呼ばれたバジル・○○○○
13. 陰陽道などで、わざわいがあるとして慎む日
14. 藤原定家が唱えた和歌の十体のうち、最も歌の本意に近いとされる、○○○体

ヨコのカギ

1. 中国・漢代の書『淮南子（えなんじ）』に由来することわざで「人間万事」に続く言葉
6. 叩くといい音を発することから「かんかん石」ともいわれる○○○岩
7. 「歳寒二友」という画題に描かれる花は、梅と○○
8. 三重県の志摩半島南部にある、真珠の養殖地として有名な湾
10. 日露戦争の英雄の名を遺（のこ）す、東京都港区の地名
12. アマランサスや雁来紅ともいわれる植物
15. 旅客機内でAISLEとは、○○○側の席
16. 1884年に設立された、英国の改良主義的な社会主義団体、○○○○○協会。バーナード・ショーやウェッブ夫妻らが参加

第36問 解答欄

1	2	3		4		5
6			■		■	
7		■	8		9	
10		11		■		■
	■	12		13		14
15			■		■	
	■	16				

解答=136ページ

解答日	月	日	解答日	月	日
時　間		分	時　間		分

解答日	月	日	解答日	月	日
時　間		分	時　間		分

女性は大姉。男性の戒名の下につける語?

タテのカギ

1. 中国江蘇省・陽澄湖産のものが有名な秋の食材
2. 住民が伝統的に朝廷の重要な儀式に奉仕したことで知られる、現在は京都市左京区の一地区
3. 英語で「放浪者、さすらい人」の意味
4. チェコの作曲家、スメタナの連作交響詩『わが祖国』中でも名高い第2曲めのドイツ語での作品名
5. 「一休さん」こと一休宗純が住持をつとめた寺
9. 徳川家康の側近として内外の政務に参画した、数え年で108歳まで生きたといわれる僧
10. 「芋洗い行動」で知られるニホンザルの生息地で、天然記念物に指定されている島
12. イタリアの宣教師マテオ・リッチにより明末に刊行された、中国最初の漢訳世界地図『○○○万国全図』
15. 飲酒などで顔のきわめて赤いことのたとえ、金時の○○見舞

ヨコのカギ

1. 仏教用語で忍土・忍界とも訳される、人間が現実に住んでいるこの世界のこと
4. 芥川賞作家・清岡卓行が日本野球連盟勤務時代に発案したという、○○○賞
6. 小林一茶の句「○○○○○　まけるな一茶　これにあり」
7. 『孫子』の一節に由来する言葉、○○○の勢い
8. 長いこと官吏登用試験の合格者が出なかった中国・荊州で初めて合格者が出たときの故事に由来する言葉
11. 仏教で、迷っている衆生（しゅじょう）を導いて仏道に入らせること
12. 男性の戒名の下につける語。女性は大姉
13. イーゼルを日本語でいうと
14. ドイツの哲学者、ハイデガーの主著『存在と○○○』
16. 幼名を七五三太（しめた）といった、キリスト教主義教育家

第37問 解答欄

1	2	3	■	4		5
6					■	
	■		■	7		
8	9		10		■	
11				■	12	
13		■	14	15		■
16						

解答=137ページ

解答日　　月　　日　　　　解答日　　月　　日

時　間　　　　分　　　　　時　間　　　　分

解答日　　月　　日　　　　解答日　　月　　日

時　間　　　　分　　　　　時　間　　　　分

『2001年宇宙の旅』に出てくる石柱状の謎の物体？

タテのカギ

1. モイズ・キスリングやジャンヌ・エビュテルヌの肖像など、数々の肖像画で知られる、エコール・ド・パリを代表する画家
2. 古代ローマの月の女神
3. 19世紀前半に『子供と家庭の童話』を共同編著した兄弟の姓
4. 茶の湯で一人分ずつ点てられ、銘々が飲むお茶
5. サボる、サボタージュの語源となった「サボ」とはフランス語でこれのこと
7. ミッキーマウスが初めて人々の目に触れた、1928年に公開された映画『蒸気船〇〇〇〇』
9. SF作品『2001年宇宙の旅』に出てくる、石柱状の謎の物体
11. ガリレオ・ガリレイにちなんで名づけられた、加速度の単位
14. 豊臣秀吉が行ったものは頭に「太閤」とついた、石高制を確立した施策
16. 毎年末に「パーソン・オブ・ザ・イヤー」を選んで発表する米国の週刊誌
17. 遼と北宋を滅ぼした、中国東北部に建てられた王朝

ヨコのカギ

1. エドガー・アラン・ポーによる世界初の本格的な推理小説『〇〇〇街の殺人』
4. 中国古代伝説上の王の名に由来する、中国を指す言葉
6. 中東で用いられる貨幣単位「ディナール」の語源となった、古代ローマの銀貨
8. 仏教で、執着すべきものはなく、一切のものから自由自在になった心境を指す言葉。本来〇〇〇〇〇
10. ラトビア共和国の首都
12. 南米北部のオリノコ川流域、ベネズエラとコロンビアにまたがる大草原
13. 古代ギリシャの哲学者アナクシマンドロスが最初に用いたとされる、「万物の根源」を意味する語
15. 代表作は『ギルダ』。1940〜50年代に活躍したハリウッド女優、〇〇〇・ヘイワース
17. サロマ湖、浜名湖、宍道湖は〇〇〇湖の代表
18. かつてはナトランと呼ばれた、ベトナム南部、南シナ海に臨む港湾都市。重要な漁港で海浜保養地としても知られる

第38問 解答欄

1	2	3	■	4		5
6			7		■	
	■	8			9	
10	11	■	12			■
13		14		■	15	16
	■		■	17		
18					■	

解答=137ページ

解答日　　月　　日	解答日　　月　　日
時　間　　　　分	時　間　　　　分
解答日　　月　　日	解答日　　月　　日
時　間　　　　分	時　間　　　　分

物事が食い違って どうにもならないたとえ?

タテのカギ

1. 鳩渓、風来山人、福内鬼外など、数々の号を使い分けた、江戸中期の博物学者、戯作者

2. アンモナイトの別称、〇〇〇〇類

3. シュメール語でイナンナとも呼ばれる、古代メソポタミアの豊穣・戦・愛の女神

4. イランのイスラム教徒の女性が伝統的に着用することで知られる、身体全体を覆う黒を基調とする外衣

5. 代表作は『ダロウェイ夫人』、英国の作家、ヴァージニア・〇〇〇

9. 北海道南部、勇払平野にある〇〇〇〇湖は、ラムサール条約登録湿地で日本初のバードサンクチュアリとしても知られる

11. 北海道で最も早く発見されたとされ、「函館の奥座敷」といわれる〇〇〇〇温泉

14. 物事が食い違ってどうにもならないたとえ、「〇〇〇の嘴」

16. 旧約聖書に出てくる、夫の死後に姑のナオミとユダのベツレヘムに行った女性

ヨコのカギ

1. 鎌倉時代初期の御家人で、北条氏追討を謀ったが殺害された〇〇能員

3. 極めて小さい部分、取るに足りない小事をいう言葉「九牛の〇〇〇〇」

6. 京都の嵯峨野にあった向井去来の別荘。松尾芭蕉が『嵯峨日記』を書いた場所

7. 京の上の単位

8. 京都の南禅寺周辺が発祥の地とされる料理

10. 「形態」などと訳されるドイツ語で、人間の精神を部分の寄せ集めでなく、機能的構造を持った全体として捉えるという意味の心理学用語

12. アドレナリンの前駆体で、交感神経を刺激する作用を持つ、〇〇アドレナリン

13. 古来「地震」を指した言葉。2文字目はもともと「ゐ」と書いた

15. ペルー、アンデス山脈西麓にある、巨大な地上絵で知られる都市

16. 「褐色の爆撃機」の異名を持つボクシング世界ヘビー級王者、ジョー・〇〇〇。世界王座25度の防衛記録を持つ

17. 1世は「〇〇〇の父」、2世は「〇〇〇の王」と呼ばれる、ヨハン・シュトラウス

第39問 解答欄

1	2	■	3	4		5
6					■	
7		■	8		9	
10		11				■
	■	12		■	13	14
15			■	16		
	■	17			■	

解答=137ページ

解答日　　月　　日	解答日　　月　　日
時　間　　　　分	時　間　　　　分
解答日　　月　　日	解答日　　月　　日
時　間　　　　分	時　間　　　　分

トップ、ミドル、ラストに分けられる、香水の香り?

タテのカギ

1. 「天の原　ふりさけ見れば　春日なる　三笠の山に　出でし月かも」の歌で知られる、留学先の唐で客死した奈良時代の貴族

2. 楽譜で、二つ以上の音符の上または下に付けられた弧線

3. 米シアトル郊外に本社がある、倉庫型の会員制量販店チェーン

4. 薩摩揚げの薩摩での呼び名、〇〇あげ

5. 歌姫と画家の悲劇の恋を描いた、プッチーニの代表的オペラ作品

6. 財界との結びつきが強く、「三井の番頭」と皮肉られた明治の元老

10. ものすごい怒りの形相、〇〇〇天を衝く

12. インド神話の神、ガネーシャの頭はこの動物

15. ギリシャ神話でタンタロスの娘。多産多子を自慢したため女神レトの怒りを買い、子をすべて殺されて悲しみ、石に化したという

17. 1958年に芥川賞、94年にノーベル文学賞を受賞、〇〇〇健三郎

19. 登山用語で岩の割れ目。ハーケンが打てる程度の細いものをいう

ヨコのカギ

1. 英国王室が所有する競馬場の名が付いた、スカーフ風に結ぶネクタイ

7. 『ブレダの開城』『ラス・メニーナス』などを描いた、17世紀スペインを代表する画家

8. トップ、ミドル、ラストに分けられる、香水の香りのこと

9. 池坊、小原、草月などの流派がある習い事

11. 「去年」の古い読み方

13. 英国のノーベル賞作家、ウィリアム・ゴールディングの代表作、『〇〇の王』

14. スベスベマンジュウと称されるものは猛毒を持つことで知られる甲殻類

16. 世界で最もアルコール度数が高い酒として知られる「スピリタス」はこの蒸留酒の一銘柄

18. ニュージーランドの先住民

20. フランス革命後に恐怖政治を行い、テルミドール9日のクーデターで失脚、処刑された政治家

第40問 解答欄

1	2	3	4	5		6
7					■	
8			■	9	10	
	■	11	12	■	13	
14	15	■	16	17		
18		19	■		■	
20						

解答=137ページ

解答日　　月　　日	解答日　　月　　日
時　間　　　　分	時　間　　　　分
解答日　　月　　日	解答日　　月　　日
時　間　　　　分	時　間　　　　分

世界最高気温を記録した米国の国立公園?

タテのカギ

1. 人の実力はさまざまだというたとえで、囲碁に由来する言葉

2. 司馬遷がこの人を弁護したために宦官（かんがん）にされた、前漢の武将。中島敦の短編小説でも有名

3. 数々の映画のロケ地や、世界最高気温を記録したことでも知られる、米国の〇〇・ヴァレー国立公園

4. 小野小町生誕の地とされ、あきたこまちの由来ともなった秋田県の市

5. ギリシャ神話で泉に映る自分の姿に恋し、水仙と化した美少年

8. 大いに熱弁をふるうこと。仏が説法することから転じた言葉

11. 弥勒の教えを受け唯識説を組織化した、4世紀頃のインド仏教の学者

14. 高杉晋作や坂本龍馬、伊藤博文など、幕末・維新の志士の撮影でも知られる写真術の先駆者、〇〇〇彦馬

15. 梵語の「焼く、焚く」が語源の、密教の儀式

ヨコのカギ

1. 第1回ノーベル平和賞を受けた、国際赤十字の創設者。スイスの人

6. 1958年12月に米国が打ち上げたミサイルにより、世界初の宇宙飛行をした霊長類は、この猿の仲間

7. 国産初のトーキー映画『マダムと女房』（1931年）をはじめ『煙突の見える場所』などで知られる映画監督、〇〇〇平之助

9. フナ尾・三つ尾・四つ尾などの尾がある、最も大衆的な金魚

10. 1967年以来、1秒の長さの定義に使われるアルカリ金属元素の一種

12. 多くの人が同じ意見を言うこと。〇〇同音

13. 正岡子規の写生論を進展させた斎藤茂吉の歌論、〇〇〇〇観入

15. 晩年に描いた一連の絵画が『黒い絵』と称された、スペインの画家

16. 『源氏物語』第六帖で、光源氏が女性に付けたあだ名、〇〇摘花

17. 冒頭の「智に働けば角が立つ…」の一節も有名な、夏目漱石の小説

第41問 解答欄

¹		²	³	⁴	⁵	
	■	⁶				■
⁷	⁸		■	⁹		
¹⁰			¹¹	■		■
¹²		■	¹³			¹⁴
	■	¹⁵		■	¹⁶	
¹⁷				■		

解答=138ページ

解答日 　月 　日	解答日 　月 　日
時　間 　　　分	時　間 　　　分

解答日 　月 　日	解答日 　月 　日
時　間 　　　分	時　間 　　　分

10億分の1を表す単位の接頭語?

タテのカギ

1. 『忠臣蔵』で四十七士が仇を取った「内匠頭」の正式な姓名
2. 米の作家、スタインベックの代表作『○○○の葡萄』
3. 『ロリータ』を書いた、ロシアから米国へ亡命した作家
4. イペリットはドイツ軍が第1次世界大戦で初めて使用した毒○○
5. 『二十四の瞳』で知られる作家、壺井○○○
8. 「ベッキオホワイト」や「イタリアンフルーツ」で知られる陶磁器ブランド、リチャード○○○
9. 松本清張の芥川賞受賞作『或る「○○○日記」伝』
12. 新約聖書『ルカによる福音書』でイエス・キリストが隣人愛と永遠の命に関して語った、「善き○○○○人のたとえ」
14. オペラやオラトリオなどに現れる、叙情的、旋律的な独唱曲
16. 仏教典の最初の語、如是○○○
18. 出る○○は打たれる

ヨコのカギ

1. 近江・小谷城主で妻は織田信長の妹・お市、娘は後の淀君。信長に滅ぼされた武将。姓の2文字目は最近の学説では「ざ」が有力
6. 大分県特産の柚子の近縁種
7. ナウマンゾウの化石の出土でも知られる長野県北部の湖
9. 米政府の海外向け短波放送の日本名「アメリカの○○」
10. 10億分の1を表す単位の接頭語
11. (とくに配偶者について)一生取り返しがつかない失敗、百年の○○○
13. 古代ローマの英雄、カエサルが著した史書『○○○戦記』
15. 画家ピカソの生地でスペイン南部の保養地、コスタ・デル・ソルに属する都市。甘口ワインでも知られる
17. 光彩が入り混じって美しいさまを表す四字熟語、光彩○○○
19. 英の哲学者、ホッブズの主著で、国家を巨大な海の怪物にたとえていった言葉

第42問 解答欄

1		2	3	4		5
	■	6			■	
7	8			■	9	
10		■	11	12		■
13		14	■	15		16
■		17	18		■	
19						

解答=138ページ

解答日　　　月　　　日	解答日　　　月　　　日
時　間　　　　　　分	時　間　　　　　　分
解答日　　　月　　　日	解答日　　　月　　　日
時　間　　　　　　分	時　間　　　　　　分

第**43**問

婚礼の席でもおなじみの世阿弥作の能の作品?

タテのカギ

1. 1533年にスペインによって滅ぼされた国。最後の王はアタワルパ
2. 「梲」と書く、梁の上に立て棟木を支える短い柱
3. 婚礼の席でもおなじみの、世阿弥作の能の作品
4. 突き出した両顎と鋭い歯が特徴の食用魚
5. 釈迦が生まれ育ち、その晩年にコーサラ国によって滅ぼされた都城
8. 作家・尾崎一雄の芥川賞受賞作『○○○眼鏡』
9. 第二次大戦中に日本に対し無条件降伏を要求した、○○○宣言
12. ギリシャ神話で牧歌の創始者とされる、シチリアの美男の羊飼い
14. 伝説上のローマの建国者でオオカミに育てられたといわれる双子の兄弟、ロムルスと○○○
17. 左近の通称で知られる、関ヶ原の戦いで戦死した石田三成の参謀、○○清興

ヨコのカギ

1. 『大日本沿海輿地全図』を作成した、江戸時代の商人・測量家
6. 人の恐れ嫌うもののたとえ。○○○の如く
7. 1077年、後の神聖ローマ皇帝ハインリヒ4世が教皇グレゴリウス7世に破門を許されるために訪れた北イタリアの村
9. 古来、中国・朝鮮半島の称
10. 第二次大戦後、米国内の「赤狩り」により映画界を追放された脚本家ドルトン・トランボらの呼び名、ハリウッド・○○
11. 11世紀英国の伯爵夫人で、夫の圧政をいさめるために白昼裸で白馬に乗って行進したという伝説が残る、○○○○夫人
13. 「熱れ」とも書く、人や草などの熱気やにおいのこと
15. 19世紀英国の女性作家、エリオットの小説『○○○河の水車場』
16. フランス料理のブレゼとは食材をオーブンで○○○にすること
18. キャプテン・クックが命名したキリバスにあるサンゴ礁の島（英語名）。ジャワ島の南、オーストラリア領にも同名の島がある

第43問 解答欄

1		2	3	4		5
	■	6			■	
7	8			■	9	
10		■	11	12		
13		14	■	15		
	■	16	17		■	
18						

解答＝138ページ

| 解答日 | 月 | 日 | | 解答日 | 月 | 日 |
| 時　間 | | 分 | | 時　間 | | 分 |

| 解答日 | 月 | 日 | | 解答日 | 月 | 日 |
| 時　間 | | 分 | | 時　間 | | 分 |

シャルドネだけで造ったシャンパン?

タテのカギ

1. 神武以降数十代の天皇の漢風諡号を撰定したとも、現存最古の漢詩集『懐風藻』の撰者ともいわれる、奈良時代の貴族・文人
2. 『マルタの鷹』『黒い罠』などに代表される米の犯罪映画のジャンル、フィルム・○○○○
3. 米の英雄的ボクサー、モハメド・アリのイスラム教改宗前のリングネーム、○○○○・クレイ
4. インド最後のイスラム帝国、○○○帝国
5. 後漢の都の名前に由来する、京都の別称
8. トーマス・エジソンの白熱電球製造会社を起源とする、米の多角的企業の略称
10. 『正義論』で知られる米の政治哲学者
12. シャルドネだけで造ったシャンパン、○○○・ド・○○○
13. 数学者フォン・ノイマンと経済学者モルゲンシュテルンにより確立された、○○○理論
15. 乾燥地帯に見られる、降雨時または雨期にのみ水の流れる谷
16. 戦国末期の大和の武将・筒井順慶の逸話にちなむ、○○ヶ峠

ヨコのカギ

1. 百人一首の第十一首の歌人としても知られる、野宰相、野相公とも呼ばれた平安貴族
6. 『論語』に由来する、15歳の称
7. 「THE MAN」の愛称で知られるメジャーリーガーで、7度の首位打者に輝いたスタン・○○○○○○
9. 日本文化の研究書『菊と刀』で知られる米の女性文化人類学者、○○○・ベネディクト
11. 新選組の前身、○○浪士組
13. イタリアの「ソ」や日本の「ト」にあたるドイツ音名
14. 背広の襟に開けてある穴の呼び名
17. 私的に尊崇して日常礼拝、読経などしている仏像、○○○仏。法隆寺の橘夫人厨子に安置された阿弥陀三尊像が最古とされる
18. ロサンゼルスに本拠を持つNFLのチーム

第44問 解答欄

1		2		3	4	5
	■		■	6		
7			8			■
	■	9			■	10
11	12	■		■	13	
14		15		16		
17			■	18		

解答=139ページ

解答日　　　月　　　日	解答日　　　月　　　日
時　間　　　　　　分	時　間　　　　　　分
解答日　　　月　　　日	解答日　　　月　　　日
時　間　　　　　　分	時　間　　　　　　分

島崎藤村の小説『破戒』の主人公?

タテのカギ

1. どんど焼き、さいと焼きなどともいわれる、小正月の火祭りの行事
2. 古代の奥羽～北海道の地に住んだ中央政権に服従しなかった先住民。「えみし」とも
3. 不老不死の伝説で知られる、中国河南省を流れる白河の支流
4. 島崎藤村の小説『破戒』の主人公、瀬川○○○○
5. 長編小説群『ルーゴン・マッカール叢書』で知られる、フランスの作家
6. ツルゲーネフの長編小説『ルージン』を、二葉亭四迷が翻訳した作品名
10. 10ドル紙幣の肖像や人気ミュージカルでも知られる、米国建国の父の一人、アレクサンダー・○○○○○
12. 歌舞伎俳優・市川團十郎とその一門の屋号
13. 敬称は小楠公。楠木正成の子、楠木○○○○
16. 金沢の名物料理である、淡水産カジカを表す方言
17. 華やかさ、美しさを意味する言葉。○○、星の如く

ヨコのカギ

1. 『郵便配達夫』などを描き、昭和初期にパリ郊外で夭折した洋画家
7. ロビン・フッドや鼠小僧はこれの典型
8. 法然の弟子、証空の言葉で、雑念を交えない他力の念仏を意味する、○○○の念仏
9. 鎌倉時代に京都の松寿軒が創製した棹菓子
11. 阿川弘之の小説でも知られる軍人・政治家で、第37代首相
14. ことわざ「○○の蔓に茄子はならぬ」
15. 信州・更科は冠着山（姨捨山）の麓にある、月の名所
18. ヘルマン・ヘッセの代表作『○○○○の下』
19. 終戦後数年間に渡り日本に救援物資を提供していた団体。アジア救済連盟の略

第45問 解答欄

1	2	3		4	5	6
7			■	8		
	■	9	10		■	
11	12				13	
14		■		■		■
■	15	16				17
18			■	19		

解答=139ページ

解答日　　月　　日	解答日　　月　　日
時　間　　　　分	時　間　　　　分
解答日　　月　　日	解答日　　月　　日
時　間　　　　分	時　間　　　　分

大西洋とインド洋を分ける アフリカ大陸最南端の岬?

タテのカギ

1. イスラム教徒にとって、ユダヤ教徒やキリスト教徒を指す言葉。本質的に同じ信仰の持ち主とされた
2. 森鴎外や西周の生家があることでも知られる、山陰地方の町
3. 1871年にカイロで初演されたヴェルディの歌劇。第2幕で演奏される『凱旋行進曲』は有名
4. 『新約聖書』中の福音書の一つ
5. アフリカ大陸最南端、大西洋とインド洋を分ける〇〇〇〇岬
8. 戦前に欧州でヒットしたドイツ語の歌『再び白いライラックが咲いたら』は、日本では『〇〇〇〇〇〇咲く頃』として知られる
10. 2016年12月に一部を廃止、映画『駅 STATION』のロケ地、増毛駅でも知られる北海道の〇〇〇本線
14. 古来、うちわや牛車などに用いられた、竹や葦、ヒノキを薄く削ったものを斜めまたは縦横に編んだもの
16. 歌枕になっている、福島県相馬地方の地名、〇〇の萱原
17. フランス語で水。〇〇・ド・ヴィー、〇〇・デ・コロン
18. 現在の御用邸のうち、最も北に位置するところ

ヨコのカギ

1. 鮮やかな緑と赤で「世界一美しい鳥」といわれるグアテマラの国鳥
6. 6世紀前半、北九州で起こった〇〇〇の乱
7. 平城遷都後に藤原氏の氏神を祭るために創建された、〇〇〇大社
9. 男声合唱の高音域
11. ラテン語の「不思議な」が語源の、鯨座にある変光星
12. 繁栄の中にも常に危険がある、という欧州の箴言「〇〇〇〇〇の剣」
13. 『旧約聖書』に書かれた、アダムに次ぐ人類第2の祖先になったという人物
15. 神戸牛ともいわれる和牛の代表的品種、〇〇〇牛
17. ハワイ語で広義の家族、信頼できるつながりといった概念を持つ言葉
19. 1820年にエーゲ海の島で農民によって発見され、ルーヴル美術館に収蔵された、高さ約2mの大理石像

Challenge! CROSSWORD

第46問 解答欄

1	2	3		4	■	5
6			■	7	8	
9			10	■	11	
	■	12				
13	14	■		■		■
15		16	■	17		18
19						

解答＝139ページ

解答日　　月　　日	解答日　　月　　日
時　間　　　　分	時　間　　　　分

解答日　　月　　日	解答日　　月　　日
時　間　　　　分	時　間　　　　分

第47問 分福茶釜の伝説で知られる群馬県にある寺?

タテのカギ

1. 東海道五十三次はこれにちなんだという説もある、『華厳経』入法界品の中心人物である求道の菩薩の名

2. ゆで卵の卵黄の裏ごし、またはみじん切りを散らした、○○○サラダ

3. 古代の渡来人、司馬達等の娘で、日本最初の尼僧とされる女性

4. 『源氏物語』で橋姫の巻以降の呼び名、○○十帖

7. 映画『ティファニーで朝食を』の主題歌、『○○○・リバー』

8. 和名は沼気。最も単純な構造の炭化水素

10. 江戸の歌舞伎劇場、江戸三座とは中村座、市村座とこれ

11. トリュフの和名、西洋○○○○

13. 第二次大戦中、ドイツに敗れたフランスで成立した、対独協力のヴィシー政府を率いた軍人

ヨコのカギ

1. 「初心忘るべからず」の名言を残した人

3. ギリシャ神話の最高神

5. 分福茶釜の伝説で知られる、群馬県にある寺

6. カフカの小説『変身』の主人公、グレゴール・○○○

9. ネーピアの数ともいう、自然対数の底を表すアルファベット

10. 人形浄瑠璃芝居の代表者のこと

12. シャンパンを発明したとされる修道士にちなむ、高級シャンパンの銘柄

14. 1868年設立の綿貿易会社に端を発する、インドの巨大財閥グループ

15. 1958年以降、数回にわたってノーベル文学賞候補になった、シュールレアリスムの詩人で英文学者、西脇○○○○○○

第47問 解答欄

1		2	■	3	4	
	■	5				■
6	7		■		■	8
9		■	10		11	
12		13				
	■	14		■		■
15						

解答=140ページ

解答日　　月　　日　　　　解答日　　月　　日

時　間　　　　分　　　　　時　間　　　　分

解答日　　月　　日　　　　解答日　　月　　日

時　間　　　　分　　　　　時　間　　　　分

ポセイドンの子である半人半魚の海神?

タテのカギ

1. 与謝野晶子の歌集『みだれ髪』の表紙絵でも知られる洋画家で、第1回文化勲章受章者
2. 『論語』に由来する四字熟語で、交わって利益となる三種の友人のこと。〇〇〇〇三友
3. 江戸時代の金貨、〇〇〇金は8枚が小判1両に相当
4. ホメロスの叙事詩『オデュッセイア』に出てくる、ギリシャ神話の風神
5. 詩聖と称された唐の詩人
8. 漢字で「春子」などと書く鯛の稚魚
10. アイルランドの作家ジェイムズ・ジョイス最後の作品『〇〇〇〇〇ズ・ウェイク』
13. ギリシャ神話で、ポセイドンの子である半人半魚の海神
16. 迫害を受ける恐れのある国に難民を追放・送還してはならないとする、〇〇・ルフールマン原則
17. 中島敦の小説『山月記』で主人公が変身してしまった獣

ヨコのカギ

1. ギリシャ文字やローマ字の基礎となったと考えられている、22文字から成る〇〇〇〇〇文字
6. 「想い出草」という来訪者ノートでも知られる京都・北嵯峨にある寺、〇〇〇庵
7. 竹久夢二や徳富蘆花の記念館があることでも知られる、〇〇〇温泉
9. 「賽の河原の石積み」と同義、ギリシャ神話にちなんだ「〇〇〇〇〇〇の岩」
11. ユカタン半島に栄えた〇〇文明
12. 芝居で、男女の情事のしぐさ
14. 世界一の記録集でも知られるビール醸造会社
15. 現在の群馬県と栃木県両県の古称
17. 『オズの魔法使い』で主人公の少女ドロシーの飼い犬の名前
18. 天智天皇の死後、大海人皇子と大友皇子とが皇位をめぐって争った内乱

第48問 解答欄

¹	²	³		⁴	■	⁵
⁶			■	⁷	⁸	
⁹			¹⁰			■
¹¹		■	¹²			¹³
	■	¹⁴			■	
¹⁵	¹⁶	■		■	¹⁷	
¹⁸						

解答=140ページ

解答日	月	日		解答日	月	日
時 間		分		時 間		分

解答日	月	日		解答日	月	日
時 間		分		時 間		分

大浴場建設で知られる
ローマ帝国皇帝の通称？

タテのカギ

1. 『大鏡』や『拾遺和歌集』に見られる、村上天皇と紀貫之の娘、紀内侍（きのないし）との故事で知られる梅の名
2. 妖艶、情調、象徴的な歌風と本歌取り・三句切れ・体言止めなどの技巧的な特色がある、○○○○○調
3. ソウル五輪開催時の韓国大統領
4. アンジェイェフスキの小説をアンジェイ・ワイダが映画化、戦時中のポーランドを描いた『○○とダイヤモンド』
5. 「みちのくの小京都」と称される秋田県の城下町
6. 狭い川や海峡を隔てて近接していることを表す四字熟語
10. 弁証法でテーゼが正なら、アンチテーゼは○○
12. 大浴場建設で知られるローマ帝国皇帝の通称
14. 魚類が繁栄し両生類が出現した、古生代の○○○紀
17. 「中国」「中華」に対し、四方の異民族を指した語

ヨコのカギ

1. 天然記念物や名水百選にも指定されている、山梨県南東部にある、富士山の伏流水が湧き出た湧泉群
7. 石上宅嗣（いそのかみのやかつぐ）が開いた、日本最古の公開図書館とされる施設
8. ことわざ、○○に蜜あり腹に剣あり
9. 孔子より31歳若く、弁舌巧みで外交、蓄財にもたけたといわれる弟子
10. 唐により置かれた安南都護府は、現在のこの都市
11. 中谷宇吉郎博士の名言「○○は天から送られた手紙である」
12. 芥川龍之介『蜘蛛の糸（も）』で釈迦に蜘蛛の糸を下ろされた泥棒
13. 『存在の耐えられない軽さ』が代表作。作家のミラン・○○○○
15. 十干の第4。「ひのと」ともいう
16. 隈取筆（くまどり）で施される絵画の技法
18. セルゲイ・エイゼンシュテイン監督のソ連映画で、第2部がスターリンにより上映禁止となった作品

第49問 解答欄

1	2	3	4		5	6
7				■	8	
9			■	10		
11		■	12			
13		14		■	15	
	■	16		17	■	
18						

解答=140ページ

解答日　　月　　日
時　間　　　　分

解答日　　月　　日
時　間　　　　分

解答日　　月　　日
時　間　　　　分

解答日　　月　　日
時　間　　　　分

漢字で「沙魚」「蝦虎魚」などと書く魚?

タテのカギ

1. 『貧乏物語』などの著作で知られるマルクス主義経済学者
2. カッコウの仲間に見られる、ホオジロなど他の鳥の巣に卵を産んで、その鳥に育てさせる習性のこと
3. 主に中南米にすみ、美しい模様と人に慣れやすいことから、以前はペットとしても飼われていたネコ科の動物
4. 落語や講談などで最も技量の優れた出演者が持つ資格
5. 高価な切手の絵柄でも知られる、歌川広重の作『月に〇〇』
7. 言語道断と同じ意味。〇〇の限り、〇〇の外
9. ソ連の作曲家ハチャトゥリアンの代表曲『〇〇〇の舞』
12. 禅に似て非なる、なまかじりの禅のこと
14. 1970年開催の大阪万博のテーマ「人類の〇〇〇と調和」
15. 2017年下半期芥川賞を受賞した石井遊佳の小説は『百年〇〇』
16. 応神天皇の世に渡来した弓月君が祖といわれる渡来人、〇〇氏

ヨコのカギ

1. 近江八景の一つ、〇〇〇の落雁
3. 三陸海岸の最南端で、南東に金華山がある〇〇〇半島
6. 阿蘇山中央火口丘の一つ烏帽子岳北斜面の火口跡にある、風光明媚で知られる草原
8. 西園寺公望と交互に組閣し、桂園時代と呼ばれたもう一人の首相
10. 『クマのプーさん』の作者、英国のA・A・〇〇〇
11. 斎藤茂吉の後をうけて昭和期の『アララギ』を主導した歌人、〇〇〇文明
13. 松下村塾があり、維新の英傑を多数輩出した城下町
14. イエス・キリストの12人の弟子たち
15. ベトナムの通貨単位
16. 漢字で「沙魚」「蝦虎魚」などと書く魚
17. 長年任意となっていた入館料の支払いが、2018年3月から義務化されることでも話題となった、ニューヨークの美術館

第50問 解答欄

1		2	■	3	4	5
	■	6	7			
8	9					■
10			■	11		12
13		■	14		■	
	■	15		■	16	
17						

解答=140ページ

解答日	月	日	解答日	月	日
時　間		分	時　間		分

解答日	月	日	解答日	月	日
時　間		分	時　間		分

吉原の遊女の筆頭とされる源氏名?

タテのカギ

1. 『源氏物語』の最終巻の名
2. 沖縄、奄美地方で「魂」を意味する言葉
3. 中国初の正史『史記』を完成させた前漢の歴史家
4. 〇〇屋とは茶室の別名
7. 『雨のしのび逢い』でカンヌ国際映画祭女優賞を受賞、フランスを代表する女優、ジャンヌ・〇〇〇
8. 国際連盟の設立に尽力し、ノーベル平和賞を受けた第28代米国大統領
10. 月が太陽の中央部を覆うときに見られる日食の一種、〇〇〇〇食
11. ニーチェの有名な言葉、「〇〇は死んだ」
13. 贖宥状(免罪符)を批判して宗教改革の端を開いた、ドイツの神学者
16. 甲斐武田氏の重臣として知られる、〇〇虎昌

ヨコのカギ

1. 泉鏡花『婦系図』が新派の演劇となった際に加えられた、「〇〇〇の境内」の場
3. 奇行で知られた唐代の僧、豊干・寒山拾得が虎とともに眠るさまを描いた、〇〇〇図
5. 20世紀中期に『数学原論』を刊行した、おもにフランスの若手数学者集団のペンネーム
6. プラトン最後の対話篇とされる『法律』のギリシャ語名
9. 囲碁の異称。〇〇の争い
10. 源実朝の家集『〇〇〇〇和歌集』
12. 台湾北部にある、清朝統治時代後期に開港した港湾都市
14. 功利主義を説いた英国の経済学者で、女性参政権の提唱などでも知られるジョン・スチュアート・〇〇
15. 吉原の遊女の筆頭とされる源氏名、〇〇〇太夫
17. ベルサイユ宮殿をしのぐ離宮としてレオポルト1世の治世に計画され、マリア・テレジアの下で完成した、ウィーンの〇〇〇〇〇〇〇宮殿

第51問 解答欄

1		2	■	3	4	
	■	5				■
6	7		■		■	8
9		■	10		11	
12		13		■	14	
■		15		16		■
17						

解答=141ページ

解答日　　　月　　　日	解答日　　　月　　　日
時　間　　　　　　分	時　間　　　　　　分
解答日　　　月　　　日	解答日　　　月　　　日
時　間　　　　　　分	時　間　　　　　　分

第52問 ロケットサラダの別名がある西洋野菜?

タテのカギ

1. 『君たちはどう生きるか』の著者・吉野源三郎が初代編集長を務めた総合雑誌
2. ギリシャ語のアルファベットの第9字
3. 万三郎・六郎の兄弟らによって樹立された能楽の〇〇〇〇流。1954年に観世流に復帰
4. 「瑟」と書く、中国の弦楽器。古代には琴と合奏
5. 三途の川の三途それぞれの頭文字をつないだ言葉。三悪道のこと
7. いわゆる「アフリカの角」の内陸部分を占める、エチオピア東部の地方
9. イスラム教の預言者、ムハンマドの出身部族
11. ロケットサラダの別名がある西洋野菜
12. 茶道で菓子を取り分けるなどの用途に使う和紙
13. インドネシアの納豆に似た発酵食品
16. 韓国南部に位置する、同国で人口4番目の都市

ヨコのカギ

1. 現在では「インド大反乱」「第1次インド独立戦争」と呼ばれる、19世紀半ばの東インド会社のインド人傭兵による、〇〇〇の反乱
3. ニホンカモシカはこの科に属する動物
6. 江戸時代の職名。老中の下で諸大名の行動を監察した
8. 『大和物語』で二人の男に求婚された乙女が身を投げた川
10. 『方法序説』を著した、フランスの哲学者
12. コペルニクスが地動説を説いた主著『天球(天体)の〇〇〇〇について』
14. 木下順二『夕鶴』のヒロインの名
15. 2018年は明治〇〇〇の始期から150周年
16. アルキメデスが〇〇の原理の説明に用いたといわれる名言「支点さえあれば、地球も動かせる」
17. 『西洋の没落』で西欧文化はすでに没落の時期に達していると説いた、ドイツの歴史哲学者

第52問 解答欄

1		2	■	3	4	5
	■	6	7			
8	9				■	
■		■	10		11	
12		13		■	14	
15			■	16		■
17						

解答=141ページ

解答日　　月　　日　　　解答日　　月　　日

時　間　　　　分　　　時　間　　　　分

解答日　　月　　日　　　解答日　　月　　日

時　間　　　　分　　　時　間　　　　分

銅像の西郷隆盛が連れている愛犬の名?

タテのカギ

1. 『戦艦武蔵』『三陸海岸大津波』など、数多くの記録文学で知られる作家
2. モスクワのクレムリン北東側にある、○○の広場
3. 江戸後期の歌人、香川景樹の号で、彼に代表される和歌の流派を表す語
4. 紀元前6世紀、バビロン捕囚時代の預言者で、後に「ユダヤ教の父」ともいわれた人物
5. カシミールやチベットの高地にすむ荷役用、肉・乳用のウシ科の動物
8. 銅像の西郷隆盛が連れている愛犬の名
11. 『エデンの東』『理由なき反抗』に主演、伝説の俳優、J・○○○○
12. ベクトルに対して数、または数と同等な性質を持つ量を意味する語
14. 足利尊氏・直義に用いられ、建武式目の制定に参与した僧。虎関師錬の弟とも『太平記』『庭訓往来』の著者ともいわれる
15. 南北朝時代の武将、義貞・義顕・義興父子の姓
17. 滝や碁石などでも知られる、和歌山県南部の地名

ヨコのカギ

1. 主人公は青山半蔵、明治維新の動乱を描いた島崎藤村の小説
6. 古代ユダヤ教および初期キリスト教を知る貴重な資料とされる数々の写本の総称、○○○文書
7. 4句から成る漢詩の形式
9. 狭義にはルネサンス絵画で確立された数学的、幾何学的な透視図法、○○○○法
10. 夜光貝やアワビ貝などの貝殻を用い、漆を塗り研ぎ出す技法
13. デ・アミーチスの小説『クオレ』の邦訳名は『○○の学校』
14. 1937年、スペイン内戦に衝撃を受けて描かれた、ピカソの代表作
16. 極東国際軍事裁判(東京裁判)で米国(連合国)首席検察官をつとめた、米国の法律家、ジョセフ・○○○○
18. ことわざ「蛙の○○に水」
19. 経営戦略にも応用された、戦闘力と勝敗に関する法則に名を残す、英国の自動車・航空工学技術者

第53問 解答欄

1	2	3		4	■	5
6			■	7	8	
	■	9				■
10	11		■		■	12
13		■	14		15	
16		17		■	18	
19						

解答＝141ページ

解答日　　月　　日		解答日　　月　　日
時　間　　　　分		時　間　　　　分
解答日　　月　　日		解答日　　月　　日
時　間　　　　分		時　間　　　　分

第54問 川の瀬などで魚をとるための仕掛け?

タテのカギ

1. 日本ではフォークソングのタイトルにも使われた、学園紛争をモチーフにした1970年の米映画
2. 光明皇后が創設した、貧しい病人のための施設、○○○院
3. 伊藤左千夫の小説『○○○の墓』
4. 大きな数の単位である恒河沙の恒河とは○○○○川のこと
5. 不思議なまでにすぐれているさま。○○なる調べ
6. 君主の言葉のこと。○○○○汗の如し
10. ジャマイカで興ったアフリカ回帰運動の実践者の呼び名。エチオピア皇帝、ハイレ・セラシエの即位前の名前に由来
12. 1970年に27歳で夭折した米のロック歌手、○○○○・ジョプリン
14. そばつゆに使われる、しょうゆや砂糖、みりんなどを合わせた調味料
15. 原産地であるメキシコの地名がついた、世界最小の犬種
18. 川の瀬などで魚をとるための仕掛け

ヨコのカギ

1. 主人公のモデルは在原業平といわれる、平安時代の歌物語
7. 遊女や芸妓が客がなくひまなこと。お○○を挽く
8. ドイツ人、J・H・シュルツェの18世紀前半の発見に端を発する従来の写真法の総称、○○○○写真
9. 鎌倉への陸路の入り口、鎌倉七口の一つ、○○○○○坂切通
11. 実在性が唱えられる最初の天皇とされる、第10代○○○天皇
13. 漢字で「盟神探湯」と書く、古代に行われた神判
16. 大徳寺住持の沢庵が出羽に流された、江戸時代初期に起きた○○事件
17. チェーホフの四大戯曲の一つ、『○○○○伯父さん』
19. 元禄期の歌舞伎で代表的女形の俳優名、○○○○あやめ
20. 海外での評価も高い安部公房の代表作『○○の女』

第54問 解答欄

1	2		3	4	5	6
7		■	8			
9		10			■	
	■		■	11	12	
13	14		15	■		■
16		■	17			18
19				■	20	

解答=142ページ

解答日	月	日		解答日	月	日
時　間		分		時　間		分

解答日	月	日		解答日	月	日
時　間		分		時　間		分

第55問 パリ発祥の地とされるセーヌ川の中州？

タテのカギ

1. 織田信長に謀反を起こした武将・茶人の荒木村重の子で、『三十六歌仙図額』などで知られる江戸初期の画家
2. 家具や仏壇・仏具などに用いられる、黒檀と並ぶ銘木
3. 山上憶良が生活に取材して詠んだ長歌『○○○○○問答歌』
4. ノートルダム大聖堂などの史跡が建ち、パリ発祥の地とされるセーヌ川の中州
5. モネが晩年に描いた『睡蓮』の大装飾画が展示されていることで知られる、○○○○○○○美術館
8. 毛沢東・劉少奇などが輩出した中国・○○○省
11. 早上りともいう、田植えがすんだ祝いのこと
13. 日本農林規格の略称
15. 「日照り雨」「桃畑」など8話からなる、1990年公開の黒澤明監督の映画

ヨコのカギ

1. 「但馬の小京都」と呼ばれる、陶磁器やそばでも知られる城下町
3. 「醤」と書く発酵調味料。現在の味噌・しょうゆの原形
6. イタリア南部の地方名に由来するとされる、テンポの速い舞曲
7. 平安京・紫宸殿の南階下の東方に植えられた、○○○の桜
9. 古代ギリシャで主に女性が着ていた、長方形の布を用いた衣服
10. 仮名に対して、漢字のこと
11. 英語ではレトリック。古代ギリシャに始まる、思想感情を効果的に伝達するための学問、○○○○学
12. 江戸後期の戯作者、為永春水の人情本『春色梅児誉美』の主人公の名前
14. 台湾の南東方海上の小島、蘭嶼に住む先住民、タオ族とも呼ばれる、○○族
15. フランスの文豪、バルザックの代表作『谷間の○○』
16. プラトンの定義では理性によって得られる正しい知識。ミシェル・フーコーの定義ではある一定の時代の認識や言説を成立させる知の枠組みのこと

第55問 解答欄

1		2	■	3	4	5
	■	6				
7	8		■	9		
10		■	11			
12		13			■	
	■	14		■	15	
16						

解答=142ページ

解答日　　月　　日	解答日　　月　　日
時　間　　　　分	時　間　　　　分
解答日　　月　　日	解答日　　月　　日
時　間　　　　分	時　間　　　　分

古代エジプトの神で
冥界の支配者?

タテのカギ

1. 歌人としての名は釈迢空。日本文学・古典芸能を民俗学の観点から研究し、新境地を開いた学者

2. 新約聖書・マタイ伝に出てくる、広く社会の腐敗を防ぐのに役立つ者、地の〇〇

3. 旧約聖書のモーセ五書の次に位置する第六書、『〇〇〇〇記』

4. 西がつくとスイカ、南がつくとカボチャ

5. 医師を表す古語

8. 正倉院宝物の『鳥毛立女屏風』は〇〇〇美人図の代表例

10. 1935年に世論研究所を創設し、世論調査の先駆けとなった米国の心理学者・統計学者

12. ニュートンが確立した「〇〇〇〇の三法則」。第1法則の別名は慣性の法則

13. 函館本線・森駅の名物駅弁

17. 『アポロ13』『ビューティフル・マインド』などで知られる映画監督、〇〇・ハワード

ヨコのカギ

1. 戯曲『漢宮秋』などの文学作品や、人物画『明妃出塞図』の題材となった、中国四大美人の一人

6. 古代エジプトの神で、冥界の支配者

7. 陰陽道や密教のまじないの文字、「臨兵闘者皆陣列在前」のこと

9. 「漁夫の利」の故事で争った二者のうち、鳥のほう

11. 記紀に伝わる神功皇后は、〇〇〇〇〇天皇の后

14. 天台宗の異称でもある、天台宗の中心となる行法

15. 仏法の守護神とされる、竜を食らうというインド神話に出てくる巨鳥。梵語ではガルダ

16. ダボハゼと称される魚の一つで、暗褐色の体が特徴

18. 多くの文学批評や評論、詩でも知られる英国の作家、G・K・チェスタートンが生んだ名探偵

第56問 解答欄

1		2	3	4	5	
	■	6				■
7	8	■		■	9	10
11		12		13	■	
14		■		15		
	■	16	17		■	
18						

解答=142ページ

解答日　　月　　日	解答日　　月　　日
時　間　　　　分	時　間　　　　分
解答日　　月　　日	解答日　　月　　日
時　間　　　　分	時　間　　　　分

アナコンダを含む
無毒の巨大ヘビの総称?

タテのカギ

1. ダンテの『神曲』『新生』に登場する、永遠の女性の象徴とされる人
2. 樋口一葉の小説。銘酒屋の遊女お力を主人公に、作者の住む東京・丸山福山町に生きる人々を描写した作品
3. 数の単位で阿僧祇と不可思議の間。10の60乗(または72乗)にあたる
4. ブリア・サヴァランの著作『〇〇礼讃』
7. 高級カジノがあることで知られる、モナコ公国の中心地区
9. 中国東北部の大河、松花江の満州語名
10. 歌劇『青ひげ公の城』、ピアノ曲『ミクロコスモス』などで知られる、ハンガリーの作曲家でピアニスト
15. アナコンダを含む無毒の巨大ヘビの総称
17. 十干の第2。「きのと」ともいう

ヨコのカギ

1. 末摘花、サフラワーともいう、染料・油料用の植物
4. 平家、薩摩、筑前などの種類がある弦楽器
5. 「〇〇で蠅を追う」とは、体力の衰えた人の様子をいう表現
6. 草津温泉が有名な、温泉の湯をかき混ぜる行為
8. ワーグナーの楽劇でも知られる、ケルト民族の説話を起源とする恋愛物語、『〇〇〇〇〇とイゾルデ』
11. 唐の玄宗皇帝の逸話に由来する、俳優とくに歌舞伎役者の社会を指す言葉
12. 昭和35年の浅沼稲次郎襲撃事件をテーマにした沢木耕太郎のノンフィクション、『〇〇〇の決算』
13. エスペラントを発明した言語学者・ザメンホフはこの科の医師でもあった
14. 1843年開園と世界でも有数の歴史を持つ、デンマーク・コペンハーゲンにある遊園地、〇〇〇公園
16. 野獣派に属するフランスの画家、ジョルジュ・〇〇〇
18. オーストラリア大陸の巨大な一枚岩、ウルルに、英国の探検家が19世紀に名付けた名前

第57問 解答欄

1	2		3	■	4	
5		■	6	7		■
8		9			■	10
11			■	12		
	■	13			■	
14	15		■	16	17	
18						

解答＝143ページ

解答日　　月　　日	解答日　　月　　日
時　間　　　　　分	時　間　　　　　分

解答日　　月　　日	解答日　　月　　日
時　間　　　　　分	時　間　　　　　分

春の季語でもある
猫が発情期にあること?

タテのカギ

1. 『善の研究』などで知られる、近代日本を代表する哲学者
2. 莫逆、方外、刎頸などと形容される間柄
3. 仏の智慧、般若を象徴する、〇〇〇〇菩薩
4. 野生のウシの最大種で、インドヤギュウともいわれる動物
5. 『荒城の月』『箱根八里』で知られる作曲家、〇〇廉太郎
6. 『水滸伝』以降、「豪傑・野心家の集まる地」の代名詞となった、中国山東省にあった大沼沢
10. プラトンの文献などに登場するが作品は現存しない、古代ギリシャで最も著名とされる画家
12. ハネムーンの名所として知られる、ハワイ州カウアイ島の〇〇の洞窟
13. 猫が発情期にあること、猫の〇〇。春の季語でもある
16. シカゴやデトロイトなどを含む米国北部の重工業地帯、〇〇〇・ベルト
17. 夏目漱石『草枕』の冒頭「智に働けば〇〇が立つ」

ヨコのカギ

1. パリとロンドンを舞台とする、ディケンズの歴史小説
7. 十二使徒の一人、熱心党の〇〇〇。同じく使徒・ペトロの最初の名でもある
8. 式亭三馬の滑稽本、『〇〇〇床』『〇〇〇風呂』
9. バレエ音楽で知られるフランスの作曲家、アダンの代表作
11. 西条八十作詞の唱歌『鞠と殿様』の殿様はこの国の殿様
13. モノレールは大きく分けて懸垂式と〇〇式に分類される
14. ロハとはこの漢字を上下2つに分けた言葉
15. メビウスの帯と同じく表裏の区別がつかない曲面、〇〇〇〇の壺
17. クロスグリのフランス語名
18. 1969年8月、伝説のロックフェスティバルの名として知られる、ニューヨーク郊外の地名

第58問 解答欄

1	2	3		4	5	6
7			■	8		
	■	9	10		■	
11	12			■	13	
14		■	15	16		
	■	17			■	
18						

解答＝143ページ

解答日　　　月　　　日	解答日　　　月　　　日
時　間　　　　　　分	時　間　　　　　　分
解答日　　　月　　　日	解答日　　　月　　　日
時　間　　　　　　分	時　間　　　　　　分

東京・巣鴨にある高岩寺の俗称?

タテのカギ

1. 2018年没後50年を迎えた、エコール・ド・パリの代表的画家

2. 『プロテスタンティズムの倫理と資本主義の精神』などで知られる、ドイツの社会学者・経済学者、マックス・○○○○○

3. 長州藩改革を推進したが長州征討の責任をとり自刃した、○○政之助

4. 東京・巣鴨にある高岩寺の俗称、○○○○地蔵

5. 小説『風車小屋便り』、戯曲『アルルの女』を書いたフランスの作家

7. 古代ギリシャのペロポネソス戦争でスパルタとの和平に尽力し、一時和議を結んだアテネの政治家で将軍

11. 京都・上賀茂の特産である酸味のある漬物

13. 第二次大戦で連合軍・同盟軍双方が愛唱したドイツの流行歌『○○○・マルレーン』

15. 『4分33秒』で知られる現代音楽家、ジョン・○○○

18. アンデルセン童話『雪の女王』に登場する少年

ヨコのカギ

1. ゲーテの戯曲で知られる、ルネサンス期に生きたとされる伝説的人物

6. プーシキンの小説に題をとったチャイコフスキーの歌劇『○○○○○・オネーギン』

8. ロバート・キャパのパートナーであり共同撮影者、ゲルダ・○○○

9. 『相撲の節』で、本番の翌日に行われる、前日の優秀者の取組のこと

10. 1988年に27歳で夭折した米国の画家、ジャン=ミシェル・○○○○

12. 組曲『ペール・ギュント』などで知られるノルウェーの作曲家

14. 律令制の官位で「次官」や「典侍」の読み

16. ことわざ「瑠璃も○○も照らせば光る」

17. 『史記』の「呂不韋伝」に由来する故事成語「○○居くべし」

19. ゲルマン民族が紀元2、3世紀頃から用いたが、キリスト教の布教とともに廃れたとされる、○○○文字

20. ドボルザークの交響曲『新世界より』の第2楽章中の有名な主題

第59問 解答欄

1		2	3	4	■	5
	■	6			7	
8		■		9		
	■	10	11			■
12	13			■	14	15
16		■	17	18	■	
19			■	20		

解答=143ページ

解答日 　　月　　日　　　　　　解答日 　　月　　日

時　間　　　　　分　　　　　　時　間　　　　　分

解答日 　　月　　日　　　　　　解答日 　　月　　日

時　間　　　　　分　　　　　　時　間　　　　　分

インド最古の宗教文献で
バラモン教の根本聖典？

タテのカギ

1. 明治期に活躍した小説家、詩人。代表作に『武蔵野』『牛肉と馬鈴薯』など。自然主義文学の先駆ともされる
2. インド最古の宗教文献でバラモン教の根本聖典
3. 倉田百三の代表的戯曲『出家とその〇〇』
4. ユダヤ諸語のなかでも最も重要な言語とされ、もと中・東欧のユダヤ人のあいだで話され、現在は世界中で使用される〇〇〇〇〇〇語
5. 一〇〇の虫にも五分の魂
8. 鳩摩羅什や玄奘などによって訳された大乗経典、〇〇〇経
9. ロシア・ウクライナの民俗音楽の演奏に使われる、3弦の撥弦楽器
11. 皐月ともいわれる月の、別の異称
14. 邦楽で高い音域の音。基本の音より1オクターブ上の音
15. フランス語でチョッキ、ベストのこと

ヨコのカギ

1. ラテン語で「あなたはどこへ行くのか？」という意味の、ポーランドのシェンキェヴィッチ作の歴史小説
6. 研ぎ澄ました刀を一振りするときに閃く短い光、〇〇〇一閃
7. 1962年に起きた米ソ間の対立、〇〇〇〇危機
10. 富士山を一夜で作った、利根川で足を洗ったなど、多くの伝説が各地に残る巨人の代表的な呼び名
12. 歌舞伎劇場で、舞台正面の枡形に区切った座席
13. 和歌を数える語
14. 米の絵本作家、モーリス・センダックの大ベストセラー『〇〇〇〇〇たちのいるところ』
16. ほぼ100年にわたり未解決だった「予想」でも知られる、1912年に没したフランスの数学者

第60問 解答欄

1		2		3	4	5
	■		■	6		
7	8		9	■		■
10						11
12		■		■	13	
	■	14		15		
16					■	

解答=143ページ

解答日　　月　　日　　　　　解答日　　月　　日

時　間　　　　分　　　　　時　間　　　　分

解答日　　月　　日　　　　　解答日　　月　　日

時　間　　　　分　　　　　時　間　　　　分

クロスワードの 解答 & 一般的な 表記

ウ	ユ	ニ	■	リ	ス	ト
エ	■	ニ	シ	ア	マ	ネ
ツ	ル	ギ	■	オ	■	リ
ジ	ン	■	オ	ウ	ギ	シ
ウ	バ	ソ	ク	■	フ	ン
ツ	■	ド	バ	イ	■	ノ
ド	ー	ム	■	ハ	ド	ウ

タテ 1：ウエッジウッド　2：瓊瓊杵尊　3：リア王　4：須磨　5：舎人親王　8：ルンバ　10：奥歯に衣着せる　11：岐阜　13：ソドムとゴモラ　16：伊波普猷　**ヨコ** 1：ウユニ　3：リスト　6：西周　7：剱岳、剣山　9：仁　10：王羲之　12：優婆塞の宮　14：フン民族　15：ドバイ　17：ドーム　18：光の波動説

オ	セ	ロ	■	ナ	ザ	レ
イ	■	マ	タ	イ	■	ン
コ	ハ	ン	■	ト	ル	テ
ス	■	シ	コ	■	イ	ン
■	キ	ユ	ウ	ビ	■	マ
ヌ	リ	■	ケ	ツ	ヘ	ル
エ	ン	マ	ン	グ	ソ	ク

タテ 1：オイコス　2：ロマンシュ語　3：ナイト　4：レンテンマルク　8：ルイ　10：孝謙天皇　12：麒麟　13：ビッグ・ブラザー　14：ぬえ　16：へそ　**ヨコ** 1：オセロ　3：ナザレ　5：マタイ　6：湖畔　7：トルテ　9：四股　11：殿　12：鳩尾　14：塗　15：ケッヘル　17：円満具足

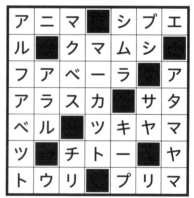

ア	ニ	マ	■	シ	ブ	エ
ル	■	ク	マ	ム	シ	■
フ	ア	ベ	ー	ラ	■	ア
ア	ラ	ス	カ	■	サ	タ
ベ	ル	■	ツ	キ	ヤ	マ
ツ	■	チ	ト	ー	■	ヤ
ト	ウ	リ	■	プ	リ	マ

タテ 1：アルファベット　2：マクベス　3：シムラ　4：附子　6：ウィリアム・マーカット少将　8：アラル海　9：頭山　11：元の鞘に収まる　14：キープ　15：近代地理学　**ヨコ** 1：アニマ　3：渋江抽斎　5：クマムシ　7：ファベーラ　10：アラスカ　11：佐多岬　12：ベル　13：築山殿　15：チトー大統領　16：桃李もの言わざれども下自ずから蹊を成す　17：プリマ・ドンナ

126

第 4 問 問題 12〜13ページ

ボ	レ	ロ	■	ハ	ト	ハ
ツ	■	ウ	オ	ル	サ	ム
テ	ネ	シ	ー	■	ニ	レ
イ	ロ	■	バ	ス	■	ツ
チ	■	オ	ル	コ	ッ	ト
エ	ス	タ	■	ラ	バ	■
リ	ー	マ	ン	■	サ	ジ

タテ 1：ボッティチェリ 2：老子 3：ハル・ノート 4：土佐煮 5：ハムレット 7：オーバル・オフィス 9：ネロ 13：スコラ学 14：お玉ヶ池 15：つばさ 17：スー族 **ヨコ** 1：ボレロ 3：ハト派 6：ウォルサム 8：テネシー川流域開発公社 10：楡家の人びと 11：英雄色を好む 12：バス 14：オルコット 16：ESTA 18：ラバ 19：リーマン予想 20：銀の匙

第 5 問 問題 14〜15ページ

フ	ェ	ル	ミ	■	ア	セ
ク	■	サ	オ	ヒ	メ	■
ザ	ゼ	ン	■	ト	リ	イ
ツ	■	チ	ズ	■	カ	ー
カ	シ	マ	ダ	チ	■	ス
イ	ラ	ン	■	ミ	カ	タ
キ	セ	■	ア	ン	ダ	ー

タテ 1：欧州情勢は複雑怪奇 2：ルサンチマン 3：みお 4：あめりか物語 6：ヒト 9：イースター島 11：頭陀袋 14：白瀬矗 15：チミン 18：華佗 **ヨコ** 1：フェルミ推定 4：綸言（りんげん）汗の如し 5：佐保姫 7：坐禅 8：鳥井信治郎 10：地図投影法 12：ジョン・ディクスン・カー 13：鹿島立ち 16：イラン 17：三方ヶ原の戦い 19：黄瀬川の陣 20：アンダースタディー

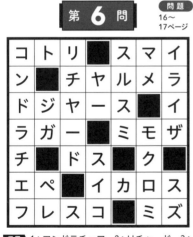

第 6 問 問題 16〜17ページ

コ	ト	リ	■	ス	マ	イ
ン	■	チ	ャ	ル	メ	ラ
ド	ジ	ャ	ー	ス	■	イ
ラ	ガ	ー	■	ミ	モ	ザ
チ	■	ド	ス	■	ク	■
エ	ペ	■	イ	カ	ロ	ス
フ	レ	ス	コ	■	ミ	ズ

タテ 1：コンドラチェフ 2：リチャード 3：生食と磨墨 4：筆まめ 5：イライザ・ドゥーリトル 7：ヤー 9：自我 12：目論見書 14：推古天皇 16：ペレ 18：スズ（錫） **ヨコ** 1：小鳥 3：すまい（相撲）の節会 6：チャルメラ 8：ドジャース 10：ラガー 11：ミモザ 13：ドス 15：エペ 17：イカロス 19：フレスコ画 20：水は方円の器に従う

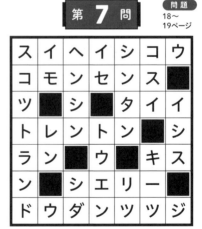

第 7 問 問題 18〜19ページ

ス	イ	ヘ	イ	シ	コ	ウ
コ	モ	ン	セ	ン	ス	■
ツ	■	シ	■	タ	イ	イ
ト	レ	ン	ト	ン	■	シ
ラ	ン	■	ウ	■	キ	ス
ン	■	シ	エ	リ	ー	■
ド	ウ	ダ	ン	ツ	ツ	ジ

タテ 1：スコットランド 2：芋の煮えたもご存じない 3：変身 4：伊勢宗瑞 5：震旦 6：湖水地方 9：イシス 11：連 12：桃園 14：ジョン・キーツ 15：しだ 16：律 **ヨコ** 1：水平思考 7：コモン（・）センス 8：大尉 10：トレントン 13：治（ち）に居て乱を忘れず 14：キス 15：（パーシー、メアリー）シェリー 17：ドウダンツツジ（灯台躑躅）

第 8 問
問題 20〜21ページ

モ	ン	テ	ツ	ソ	ー	リ
ツ	■	イ	チ	シ	■	グ
ケ	ゴ	ン	■	ユ	ダ	■
イ	■	カ	ポ	ー	テ	イ
■	エ	ー	テ	ル	■	グ
セ	ン	ベ	ン	■	レ	ア
イ	キ	ル	■	ガ	ウ	ス

タテ 1：木鶏 2：ティンカー(・)ベル 3：土 4：ソシュール 5：リグ・ベーダ 9：伊達氏 11：ポテンヒット 12：イグアスの滝 13：塩基 14：斉 15：レウ **ヨコ** 1：モンテッソーリ 6：壱師 7：華厳宗 8：イスカリオテのユダ 10：トルーマン・カポーティ 13：エーテル 14：先鞭 15：レア 16：生きる 17：ガウス

第 9 問
問題 22〜23ページ

パ	ト	ス	■	ガ	イ	ア
ス	■	オ	ク	ビ	■	メ
テ	ル	ミ	ン	■	キ	リ
ル	ー	■	シ	チ	リ	ア
ナ	ッ	シ	ュ	ビ	ル	■
ー	■	ン	■	キ	モ	ト
ク	ラ	シ	キ	■	ジ	キ

タテ 1：パステルナーク 2：スオミ 3：峨眉山 4：アメリア・イアハート 6：葷酒山門に入るを許さず 8：ルーツ 9：キリル文字 12：千引の岩 14：進士 16：時の用には鼻をも削ぐ **ヨコ** 1：パトス 3：ガイア 5：おくび 7：テルミン 9：キリ 10：ルー・ゲーリッグ 11：シチリア島 13：ナッシュビル 15：生酛造り 17：倉敷 18：磁器

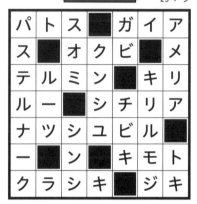

コラムその①

十干と陰陽五行説との関係、恵方は？

甲(こう)…木の兄(きのえ)東北東
乙(おつ)…木の弟(きのと)西南西
丙(へい)…火の兄(ひのえ)南南東
丁(てい)…火の弟(ひのと)北北西
戊(ぼ)…土の兄(つちのえ)南南東
己(き)…土の弟(つちのと)東北東
庚(こう)…金の兄(かのえ)西南西
辛(しん)…金の弟(かのと)南南東
壬(じん)…水の兄(みずのえ)北北西
癸(き)…水の弟(みずのと)南南東

第 10 問
問題 24〜25ページ

ス	ト	レ	イ	シ	ー	プ
テ	■	ミ	■	タ	■	ル
イ	ブ	ン	シ	ー	ナ	ー
グ	ン	グ	ニ	ル	■	ス
リ	シ	■	フ	■	ハ	ト
ツ	■	ツ	イ	ソ	ウ	■
ツ	チ	ノ	エ	■	ダ	ダ

タテ 1：スティグリッツ 2：レミング 3：シタール 4：マルセル・プルースト 6：桂文枝 7：シニフィエ 10：ハウダ 11：アフリカの角 **ヨコ** 1：ストレイ(・)シープ 5：イブン(・)シーナー 8：グングニル 9：李氏朝鮮 10：鳩 11：追想 12：つちのえ 13：ダダ

ア	リ	ア	ド	ネ	■	ケ
メ	ン	サ	■	ザ	イ	ン
イ	ド	■	ア	メ	ツ	チ
セ	ン	ソ	ウ	■	カ	ン
ン	■	ロ	ン	ド	ン	■
ソ	ト	モ	■	イ	■	セ
ウ	イ	ン	ブ	ル	ド	ン

タテ 1：蛙鳴蝉噪　2：バリー・リンドン　3：永訣の朝　4：寝覚の床　5：けんちん　8：飛来一閑、一閑張　10：阿吽　12：ソロモン　15：コナン・ドイル　17：都井岬　18：アマルティア・セン　**ヨコ** 1：アリアドネの糸　6：メンサ　7：ザイン　9：水を飲むときには、井戸を掘った人を忘れない　10：天地の詞　11：戦争論　13：かん（甲）　14：ジャック・ロンドン　16：そとも　19：ウィンブルドン現象

ボ	ー	ド	リ	ヤ	ー	ル
ク	■	ラ	ー	マ	■	ク
シ	カ	ゴ	■	ブ	ツ	セ
■	サ	ン	セ	キ	■	ン
ア	ゴ	■	キ	■	ヤ	ブ
カ	■	エ	ト	ワ	ー	ル
シ	ユ	ラ	バ	■	ド	ク

タテ 1：墨子　2：ドラゴン　3：リー　4：七重八重花は咲けども山吹の実のひとつだになきぞ悲しき　5：ルクセンブルク　8：笠碁　11：赤兎馬　12：明石志賀之助　13：ニュー・スコットランド・ヤード　14：エラ・フィッツジェラルド　**ヨコ** 1：ボードリヤール　6：ラーマ　7：シカゴ学派　9：カール・ブッセ　10：三蹟　12：あご（飛魚）　13：藪の中　14：エトワール凱旋門　15：修羅場　16：毒を食らわば皿まで

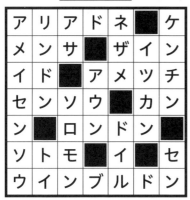

コラムその②

仏教で信者が守るべき五戒とは？

不殺生戒（ふせっしょうかい）…生き物を故意に殺してはならない

不偸盗戒（ふちゅうとうかい）…他人の物を盗んではならない

不邪淫戒（ふじゃいんかい）…不道徳な性行為を行ってはならない

不妄語戒（ふもうごかい）…嘘をついてはならない

不飲酒戒（ふおんじゅかい）…酒類を飲んではならない

サ	ン	ボ	■	ポ	ス	ト
ン	■	ル	ナ	ー	ル	■
ス	ン	テ	ツ	■	タ	ル
ク	■	ー	■	キ	ン	シ
リ	ア	ル	タ	ー	■	フ
ツ	ボ	■	ニ	■	ハ	エ
ト	ウ	ヤ	マ	ミ	ツ	ル

タテ 1：サンスクリット　2：ボルテール　3：ポー川　4：スルタン　6：夏梅　9：ルシフェル　10：キー・ウェスト　12：阿房宮　13：谷間の百合　15：初　**ヨコ** 1：サンボ　3：ポストモダン　5：ルナール　7：寸鉄人を刺す　8：樽の中の哲人　10：金鵄　11：リアルター　14：壺の口を切る、ツボ（壺）にはまる　15：はえ　16：頭山満

129

第14問

オ	イ	リ	ュ	ト	ミ	ー
ツ	■	キ	ト	サ	ン	■
カ	シ	ユ	ウ	■	コ	モ
ム	カ	ウ	■	オ	フ	ミ
■	ノ	■	タ	レ	ス	■
イ	シ	ベ	キ	ン	キ	チ
ヤ	マ	ガ	■	ジ	ー	ン

タテ 1：オッカムの剃刀　2：利休色　3：湯桶読み　4：土佐（の）国　5：ミンコフスキー　8：志賀島　10：樅ノ木は残った　12：オレンジ自由国　13：（楠本）滝　14：祖谷渓　15：ベガ　16：ちん　**ヨコ** 1：オイリュトミー　6：キトサン　7：カシュウ　9：コモ湖　11：無何有の郷　12：御文　13：タレス　14：石部金吉　17：山鹿素行　18：ジーン・セバーグ

第15問

ヒ	ガ	サ	■	ニ	カ	イ
キ	■	ム	イ	シ	ゼ	ン
メ	チ	エ	■	ジ	■	ゲ
カ	イ	■	カ	ン	タ	ン
ギ	ン	カ	ク	■	チ	■
バ	■	ン	■	タ	バ	コ
ナ	イ	ト	ウ	コ	ナ	ン

タテ 1：引目鉤鼻　2：作務衣　3：西陣　4：風の歌を聴け　5：隠元　8：知音　10：核　11：橘氏（うじ）　13：カント　14：凧　15：今和次郎　**ヨコ** 1：散歩・日傘をさす女　3：二階から目薬　6：無為自然　7：メチエ　9：隗より始めよ　10：邯鄲の夢　12：銀閣寺　14：タバコ（煙草）　16：内藤湖南

第16問

ユ	イ	ブ	ツ	シ	カ	ン
ス	■	ラ	ル	ー	ス	■
ラ	ミ	ー	■	レ	タ	ス
ウ	シ	エ	ビ	■	リ	ラ
メ	シ	■	ア	イ	ア	イ
■	ツ	イ	ス	ト	■	ダ
ス	ピ	リ	■	ウ	ォ	ー

タテ 1：ユスラウメ（梅桃）　2：ティコ・ブラーエ　3：鶴の一声、掃き溜めに鶴　4：エゴン・シーレ　5：カスタリア（の泉）　8：ミシシッピ（州）　10：スライダー　12：アンブローズ・ビアス　16：イトウ　18：イリ川　**ヨコ** 1：唯物史観　6：ラルース書店　7：ラミー　9：レタス　11：ウシエビ（牛海老）　13：リラ　14：めし　15：アイアイ　17：オリヴァー・ツイスト　19：ヨハンナ・スピリ　20：ウォークライ

第17問

ク	ダ	ラ	■	イ	タ	ン
ズ	■	カ	レ	ワ	ラ	■
ネ	ハ	ン	■	エ	■	ペ
ツ	ツ	■	オ	ン	グ	ル
ツ	チ	グ	モ	■	ラ	ー
■	ヨ	■	ダ	ン	ナ	■
オ	ウ	サ	カ	■	ダ	メ

タテ 1：クズネッツ　2：羅漢果　3：頤和園　4：タラ　7：八丁味噌　8：ペルー　10：澤瀉屋　11：グラナダ　**ヨコ** 1：百済　3：異端　5：カレワラ　6：涅槃　9：（ささげ）つつ　10：東オングル島　12：土蜘蛛　13：ラー　14：旦那（檀那）　15：逢坂の関　16：ダメ（駄目）

イ	シ	ハ	ラ	カ	ン	ジ
デ	イ	■	イ	オ	■	ユ
ア	ソ	ウ	ギ	■	マ	ネ
■	サ	■	ヨ	ッ	ト	■
エ	ン	デ	■	ア	ン	ゴ
チ	■	カ	レ	ー	■	ザ
カ	ナ	ン	■	リ	ー	ン

タテ 1：イデア　2：尸位素餐　3：ライギョ（雷魚）　4：他人の顔　5：ジャン・ジュネ　9：マトン　11：ツァーリ　12：エチカ　13：デカン高原　15：京都五山の上　**ヨコ** 1：石原莞爾　6：ドリス・デイ　7：イオ　8：阿僧祇　9：マネ　10：ヨット　12：ミヒャエル・エンデ　14：安居　16：カレーの市民　17：カナン　18：デヴィッド・リーン

ソ	カ	イ	■	セ	ン	ソ
ク	メ	■	ブ	タ	■	ン
テ	オ	ド	ラ	■	ジ	ブ
ン	■	ロ	ン	シ	ヤ	ン
キ	ス	イ	コ	■	カ	■
ヨ	カ	ゼ	■	エ	ル	ム
シ	ユ	ン	ペ	ー	タ	ー

タテ 1：則天去私　2：カメオ出演　3：瀬田の夕照　4：孫文　6：ブランコ（しゅうせん）　8：ドロイゼン　9：ジャカルタ　12：酸ヶ湯温泉　14：Aライン　15：ムー大陸　**ヨコ** 1：租界　3：践祚　5：久米（の）仙人　6：豚に真珠　7：テオドラ　9：治部煮　10：ロンシャン競馬場　11：汽水湖　13：旅の夜風　14：エルム　16：シュンペーター

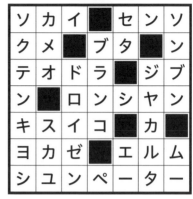

コラムその③

京都五山、鎌倉五山、近江八景とは?

京都五山は、天竜寺、相国寺、建仁寺、東福寺、万寿寺の五寺で、別に南禅寺を首格とする。鎌倉五山は、建長寺、円覚寺、寿福寺、浄智寺、浄明寺の五寺。近江八景は江戸時代に選ばれた、比良の暮雪、堅田の落雁、唐崎の夜雨、三井の晩鐘、矢橋の帰帆、粟津の晴嵐、石山の秋月、瀬田の夕照の八景。

パ	パ	ラ	ツ	チ	■	ア
ラ	ン	ス	■	オ	ト	ギ
ダ	■	コ	ボ	ン	■	ナ
イ	エ	ー	ツ	■	ヒ	ル
ム	ク	■	カ	ジ	モ	ド
■	メ	ツ	チ	エ	ン	■
ヤ	ネ	■	オ	ン	ジ	ユ

タテ 1：パラダイム概念　2：パンと見せ物　3：ラスコーの洞窟壁画遺跡　4：知恩寺　5：アギナルド　9：ボッカチオ　11：エクメネ　12：緋文字　15：慈円　**ヨコ** 1：パパラッチ　6：ランス　7：お伽草子　8：鼓盆　10：イェーツ　12：ジョージ・ロイ・ヒル監督　13：無垢　14：カジモド　16：メッチェン　17：世界の屋根　18：（ふ）おんじゅ（かい）

第21問

タ	リ	ム	■	ケ	ゲ	ン
カ	■	ナ	ロ	ー	ド	■
ダ	イ	カ	ク	ジ	■	オ
ヤ	ル	タ	■	ヤ	キ	ン
カ	カ	■	コ	ン	ド	ル
ヘ	■	ヨ	■	■	ル	■
エ	イ	ゴ	ウ	カ	イ	キ

タテ 1：高田屋嘉兵衛　2：宗像大社　3：ケージャン料理　4：ゲド戦記　6：勒　8：イルカ　9：遠流　12：希土類元素1　14：項羽　15：余呉湖　**ヨコ** 1：タリム盆地　3：けげん　5：ヴ・ナロード　7：大覚寺統　10：ヤルタ会談　11：冶金研究所　13：呵呵大笑　14：コンドル　15：庸　16：永劫回帰

第22問

ゲ	サ	ク	ザ	ン	マ	イ
テ	ン	ゲ	ン	■	ス	ミ
イ	ガ	■	ギ	フ	ト	■
ス	■	ア	リ	■	ド	ガ
バ	ギ	オ	■	リ	ン	リ
ー	■	ヒ	シ	オ	■	ウ
グ	ツ	ゲ	ン	ハ	イ	ム

タテ 1：ゲティスバーグ　2：サンガ　3：公家悪　4：散切り頭を叩いてみれば文明開花の音がする　5：マストドン　6：意味論　11：青ひげ　13：ガリウム　15：リオハ　17：民信無くば立たず　**ヨコ** 1：戯作三昧　7：天元　8：隅の老人　9：伊賀流　10：ギフト　11：蟻の熊野参り　12：ドガ　14：バギオ　15：倫理的実存　16：ひしお　18：グッゲンハイム美術館

コラムその④

兆以上の数字の単位の読み方と桁数

兆（ちょう）（13）、京（けい）（17）、垓（がい）（21）、杼（じょ）（25）、穣（じょう）（29）、溝（こう）（33）、澗（かん）（37）、正（せい）（41）、載（さい）（45）、極（ごく）（49）、恒河沙（ごうがしゃ）（53）、阿僧祇（あそうぎ）（57）、那由他［那由多］（なゆた）（61）、不可思議（ふかしぎ）（65）、無量大数（むりょうたいすう）（69）。

第23問

ア	ー	レ	ン	ト	■	ト
イ	■	イ	■	ド	ト	ウ
オ	ウ	ド	ウ	ラ	ク	ド
イ	バ	■	コ	ー	ダ	■
ノ	イ	マ	ン	■	ワ	シ
マ	■	ユ	■	ゴ	ラ	ン
ツ	キ	ミ	ソ	ウ	■	バ

タテ 1：相生の松　2：絶対零度　3：トドラー　4：永久凍土　6：徳俵　8：烏梅　9：右近の橘　13：まゆみ　15：シンバ　16：業　**ヨコ** 1：ハンナ・アーレント　5：疾風怒濤　7：王道楽土　10：意馬心猿　11：コーダ　12：フォン・ノイマン　14：和紙　16：ゴラン高原　17：富士には月見草がよく似合う

第24問

問題 52〜53ページ

ジ	ー	ク	フ	リ	ー	ト
ツ	■	マ	ラ	ー	■	ザ
ゾ	ル	ゲ	■	ド	グ	マ
ン	■	ラ	マ	■	ラ	■
シ	シ	■	テ	イ	ス	ウ
ユ	メ	ジ	■	ズ	■	ラ
ギ	ン	ユ	ウ	シ	ジ	ン

タテ 1：実存主義　2：クマゲラ　3：フラ　4：キャロル・リード　5：外様大名　9：ギュンター・グラス　11：マテ（茶）　13：四面楚歌　15：出石　16：ウラン　18：従　**ヨコ** 1：ジークフリート　6：マラー　7：リヒャルト・ゾルゲ　8：ドグマ　10：ラマ　12：獅子座　14：定数　17：竹久夢二　19：吟遊詩人

第25問

問題 54〜55ページ

ゴ	ウ	ガ	シ	ヤ	■	ヤ
リ	■	タ	ヤ	ス	モ	ン
ア	グ	リ	ツ	パ	■	ヨ
テ	ラ	■	セ	ー	タ	ー
■	イ	カ	■	ス	イ	ス
シ	ダ	イ	シ	■	ハ	テ
バ	ー	ン	ス	タ	イ	ン

タテ 1：ゴリアテ　2：フェリックス・ガタリ　3：シャッセ　4：ヤスパース　5：ヤン（・）ヨーステン　8：グライダー　11：退廃芸術　13：カイン　15：シバ（の女王）　16：シス　**ヨコ** 1：恒河沙　6：田安門　7：アグリッパ　9：テラ　10：セーター　12：（ダイオウ）イカ　14：スイス　15：四大師　17：愛と哀しみの果て　18：レナード・バーンスタイン

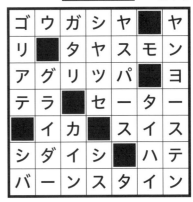

コラムその⑤

永字八法とは？

「永」という字には、書に必要な8つの技法が含まれている。書き順ごとに、側（そく）：点、勒（ろく）：横画、努（ど）：縦画、趯（てき）：はね、策（さく）：右上がりの横画、掠（りゃく）：左はらい、啄（たく）：短い左はらい、磔（たく）：右はらい。

徳川御三家、御三卿とは？

御三家は、尾張徳川家、紀州徳川家、水戸徳川家のこと。御三卿は、田安徳川家、一橋徳川家、清水徳川家のこと。

第26問

問題 56〜57ページ

サ	ン	ド	■	ヒ	ヨ	シ
ン	■	ウ	シ	ノ	シ	タ
マ	サ	オ	カ	シ	キ	■
■	キ	モ	ン	■	リ	セ
シ	テ	■	タ	キ	■	ン
コ	■	ヒ	ザ	ク	リ	ゲ
ロ	ー	ズ	■	タ	キ	ン

タテ 1：秋刀魚の歌　2：ドゥオモ　3：火熨斗　4：ヨシキリ　5：泉の下（せんか）　7：只管打坐　9：先手組　12：富士山本宮浅間大社　13：しころ　15：菊田一夫　16：氷頭　17：理気説　**ヨコ** 1：ジョルジュ・サンド　3：日吉丸　6：ウシノシタ　8：正岡子規　10：鬼門　11：リセ　13：シテ（仕手、為手）　14：滝　16：東海道中膝栗毛、西洋道中膝栗毛　18：セシル・ローズ　19：タキン党

第27問

問題 58〜59ページ

イ	ナ	ム	ラ	ガ	サ	キ
ザ	■	イ	マ	リ	■	チ
ヨ	ウ	カ	ン	■	エ	ジ
イ	エ	■	チ	ド	リ	■
ニ	ツ	シ	ャ	■	ア	サ
ツ	■	ヨ	■	フ	ー	ガ
キ	ュ	ー	ガ	ー	デ	ン

タテ 1：十六夜日記 2：六日の菖蒲、十日の菊 3：ラ・マンチャの男 4：ガリ 5：キチジ 8：羽越本線 9：エリアーデ 13：バーナード・ショー 15：フランソワーズ・サガン 16：フーズ・フー（Who's Who） **ヨコ** 1：稲村ヶ崎 6：伊万里焼 7：羊羹 9：衛士 10：人形の家 11：千鳥格子 12：日射病 14：アサ（麻） 16：フーガ 17：キューガーデン

第28問

問題 60〜61ページ

オ	ミ	ナ	エ	シ	■	ヘ
ウ	ソ	■	ビ	ー	ナ	ス
マ	ヒ	ト	■	メ	タ	■
■	ト	ン	キ	ン	■	カ
エ	モ	ジ	■	ス	カ	ラ
ゴ	ジ	ン	カ	■	キ	ョ
マ	■	チ	ュ	ウ	ヨ	ウ

タテ 1：逢魔が時 2：三十一文字 3：海老で鯛を釣る 4：シーメンス事件 5：ルドルフ・ヘス 8：なた 10：貪瞋痴 13：売り家と唐様で書く三代目 14：エゴマ（荏胡麻） 16：科挙 18：かゆ **ヨコ** 1：オミナエシ（女郎花） 6：ウソ 7：ビーナス 9：真人 11：メタ言語 12：トンキン湾事件 14：絵文字 15：スカラ座 17：御神火 19：清 20：中庸

第29問

問題 62〜63ページ

メ	シ	ア	■	ア	コ	ヤ
ツ	■	カ	タ	バ	ミ	■
カ	ナ	メ	イ	シ	■	ヤ
■	カ	■	マ	リ	ア	ナ
ガ	ン	カ	イ	■	ノ	ギ
シ	ズ	カ	■	ア	ミ	ダ
エ	ク	リ	チ	ュ	ー	ル

タテ 1：メッカ 2：赤目四十八滝 3：網走 4：コミ 6：タイマイ 8：なかんずく 9：誹風柳多留 11：アノミー 12：医師ガシェの肖像 13：係り結び 16：鮎 **ヨコ** 1：メシア 3：阿古屋 5：カタバミ 7：要石 10：マリアナ海溝 12：顔回 14：乃木希典 15：静御前 16：阿弥陀 17：エクリチュールと差異

第30問

問題 64〜65ページ

カ	イ	ケ	イ	■	エ	ゴ
ム	■	リ	チ	ウ	ム	■
イ	ア	ー	ゴ	■	ス	イ
■	ヘ	■	ニ	ケ	■	ー
テ	ン	バ	■	イ	リ	ス
レ	■	ト	ツ	カ	ー	タ
ビ	ョ	ウ	ゲ	ン	キ	ン

タテ 1：カムイ 2：グレース・ケリー 3：いちご煮 4：エムス電報事件 7：アヘン戦争 9：イースタン・グリップ 11：桂冠詩人 12：日本のテレビの父 13：馬頭観音 15：リーキ 17：つげ **ヨコ** 1：会稽の恥 3：エゴ 5：リチウム 6：イアーゴ 8：雛 10：ニケ 12：天馬空を行く 14：イリス 16：トッカータとフーガ 18：銃・病原菌・鉄

第31問

問題 66〜67ページ

エ	ツ	ダ	■	ガ	ク	シ
ン	■	フ	ア	イ	サ	ル
カ	ル	ネ	■	コ	ン	ト
■	パ	■	ロ	ッ	テ	■
ダ	ン	カ	ン	■	イ	ズ
イ	■	フ	■	ミ	ツ	イ
ゴ	ト	ウ	シ	ン	ペ	イ

タテ 1：演歌 2：ダフネ 3：宮武外骨 4：クサンティッペ 5：シルト 8：ルパン 10：論(蔵) 11：醍醐 12：永井荷風 14：不随意筋 15：明 **ヨコ** 1：古エッダ、新エッダ 3：日本学士院 6：ファイサル 7：マルセル・カルネ 9：コント 10：ロッテ(シャルロッテの愛称) 11：イサドラ・ダンカン 13：知恵伊豆 15：三井財閥 16：後藤新平

第32問

問題 68〜69ページ

カ	リ	ガ	リ	ハ	カ	セ
ガ	ラ	■	ヤ	イ	ト	■
ワ	ク	ス	マ	ン	■	ソ
ト	■	ズ	■	ズ	サ	ン
ヨ	ウ	キ	ヒ	■	サ	シ
ヒ	ソ	■	ガ	ー	ナ	■
コ	ン	リ	ン	■	キ	ト

タテ 1：賀川豊彦 2：籬落 3：リャマ 4：ジム・ハインズ 5：河図 9：鈴木商店 10：孫子の兵法 12：笹鳴き 14：烏孫 15：彼岸 **ヨコ** 1：カリガリ博士 6：ガラ 7：やいと 8：ワクスマン 11：杜撰 13：楊貴妃 16：左思 17：ヒ素(砒素) 18：ガーナ 19：金輪 20：キト

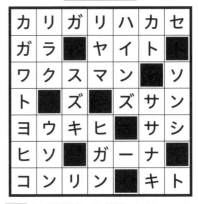

コラムその⑥

孔門十哲とは?

孔子の門人で特に優れた、顔淵(顔回)、閔子騫、冉伯牛、仲弓、宰我、子貢、冉有、季路(子路)、子游、子夏の10人。

蕉門十哲とは?

松尾芭蕉の弟子で特に優れた、宝井其角、服部嵐雪、向井去来、内藤丈草、森川許六、杉山杉風、各務支考、立花北枝、志太野坡、越智越人の10人(異説あり)。

第33問

問題 70〜71ページ

キ	カ	ク	■	キ	ッ	ド
キ	ガ	サ	ナ	リ	■	ル
ヨ	ミ	■	ガ	■	マ	リ
ラ	■	ネ	オ	テ	ニ	ー
イ	ジ	ン	カ	ン	■	レ
ノ	■	ブ	■	ポ	パ	ー
ジ	ヤ	ツ	コ	ウ	イ	ン

タテ 1：帰去来辞 2：鏡の間 3：草も揺るがず 4：夜と霧 5：ドルリー(・)レーン 7：長岡城 9：マニ(教) 10：念仏往生 11：天保水滸伝、天保六花撰 14：π中間子 **ヨコ** 1：宝井其角 4：キッド 6：季重なり 8：黄泉(の国) 9：マリ(共和国) 10：ネオテニー 12：異人館 13：カール・ポパー 15：寂光院

オ	ウ	ミ	■	ア	モ	ン
オ	■	ズ	ブ	ネ	リ	■
タ	ヒ	チ	■	ク	ス	コ
■	ヨ	■	サ	ド	■	ロ
ア	ウ	フ	ヘ	ー	ベ	ン
ゴ	コ	■	イ	ト	■	ビ
ラ	■	ソ	ジ	■	モ	ア

タテ 1：大田南畝　2：蛇　3：アネクドート　4：ウィリアム・モリス　7：瓢湖　9：コロンビア　10：居残り佐平次　11：アゴラ　**ヨコ** 1：近江聖人　3：アモン　5：頭捻り　6：タヒチ　8：クスコ　10：サド侯爵　11：アウフヘーベン　12：五胡　13：糸　14：楚辞　15：モア

プ	リ	ニ	ウ	ス	■	マ
ト	■	ユ	ガ	ミ	モ	ジ
レ	マ	ル	ク	■	モ	ノ
マ	イ	ン	■	コ	■	セ
イ	■	ベ	ル	ク	ソ	ン
オ	カ	ル	■	ト	ロ	■
ス	■	ク	イ	ー	ン	ズ

タテ 1：プトレマイオス　2：ニュルンベルク裁判　3：有学　4：墨　5：マジノ線　7：モモ　9：舞　12：ジャン・コクトー　14：ソロン　**ヨコ** 1：プリニウス　6：歪み文字　8：レマルク　10：モノ　11：フランクフルト・アム・マイン　13：ベルクソン　15：お軽　16：登呂遺跡　17：クイーンズ区

コラムその⑦

仏教の三毒、四果、五味とは？

三毒は、貪（むさぼり）、瞋（怒りや憎しみ）、痴（ぐち）の心。

四果は、修行で得られる、須陀洹（預流）果、斯陀含（一来）果、阿那含（不還）果、阿羅漢（無学）果の4段階の悟りの位。阿羅漢果未満が有学。

五味は、乳を精製する過程の、乳味、酪味、生酥味、熟酥味、醍醐味の5段階の味。

サ	イ	オ	ウ	ガ	ウ	マ
サ	ヌ	キ	■	ラ	■	ダ
キ	ク	■	ア	ゴ	ワ	ン
ノ	ギ	ザ	カ	■	ゴ	■
ブ	■	ハ	ゲ	イ	ト	ウ
ツ	ウ	ロ	■	ミ	■	シ
ナ	■	フ	エ	ビ	ア	ン

タテ 1：佐佐木信綱　2：犬釘　3：隠岐（の島）　4：ガラゴ　5：魔弾の射手　8：赤毛のアン　9：和事　11：バジル・ザハロフ　13：忌み日　14：有心体　**ヨコ** 1：人間万事塞翁が馬　6：讃岐岩　7：梅と菊　8：英虞湾　10：乃木坂　12：葉鶏頭　15：通路側　16：フェビアン協会

第37問

シ	ャ	バ	■	モ	ウ	ダ
ヤ	セ	ガ	エ	ル	■	イ
ン	■	ボ	■	ダ	ツ	ト
ハ	テ	ン	コ	ウ	■	ク
イ	ン	ド	ウ	■	コ	ジ
ガ	カ	■	ジ	カ	ン	■
ニ	イ	ジ	マ	ジ	ョ	ウ

タテ 1：上海蟹　2：八瀬　3：vagabond　4：モルダウ　5：大徳寺　9：天海　10：幸島　12：坤輿万国全図　15：金時の火事見舞い　**ヨコ** 1：娑婆　4：猛打賞　6：やせ蛙まけるな一茶これにあり　7：脱兎の勢い　8：破天荒　11：引導　12：居士　13：画架　14：存在と時間　16：新島襄

第38問

モ	ル	グ	■	ウ	イ	キ
デ	ナ	リ	ウ	ス	■	グ
イ	■	ム	イ	チ	モ	ツ
リ	ガ	■	リ	ヤ	ノ	■
ア	ル	ケ	ー	■	リ	タ
ー	■	ン	■	キ	ス	イ
ニ	ャ	チ	ャ	ン	■	ム

タテ 1：モディリアーニ　2：ルナ　3：グリム（兄弟）　4：薄茶　5：木靴　7：蒸気船ウィリー　9：モノリス　11：ガル　14：検地　16：タイム　17：金　**ヨコ** 1：モルグ街の殺人　4：禹域　6：デナリウス　8：本来無一物　10：リガ　12：リャノ　13：アルケー　15：リタ・ヘイワース　17：汽水湖　18：ニャチャン

第39問

ヒ	キ	■	イ	チ	モ	ウ
ラ	ク	シ	シ	ャ	■	ル
ガ	イ	■	ユ	ド	ウ	フ
ゲ	シ	ュ	タ	ル	ト	■
ン	■	ノ	ル	■	ナ	イ
ナ	ス	カ	■	ル	イ	ス
イ	■	ワ	ル	ツ	■	カ

タテ 1：平賀源内　2：菊石類　3：イシュタル　4：チャドル　5：ヴァージニア・ウルフ　9：ウトナイ湖　11：湯の川温泉　14：イスカの嘴　16：ルツ　**ヨコ** 1：比企能員　3：九牛の一毛　6：落柿舎　7：垓　8：湯豆腐　10：ゲシュタルト　12：ノルアドレナリン　13：ない　15：ナスカ　16：ジョー・ルイス　17：ワルツの父、ワルツの王

第40問

ア	ス	コ	ッ	ト	タ	イ
ベ	ラ	ス	ケ	ス	■	ノ
ノ	ー	ト	■	カ	ド	ウ
ナ	■	コ	ゾ	■	ハ	エ
カ	ニ	■	ウ	オ	ツ	カ
マ	オ	リ	■	オ	■	オ
ロ	ベ	ス	ピ	エ	ー	ル

タテ 1：阿倍仲麻呂　2：スラー　3：コストコ　4：つけ揚げ　5：トスカ　6：井上馨　10：怒髪天を衝く　12：象　15：ニオベ　17：大江健三郎　19：リス　**ヨコ** 1：アスコット（・）タイ　7：ベラスケス　8：ノート　9：華道　11：こぞ　13：蠅の王　14：カニ（蟹）　16：ウォッカ　18：マオリ　20：ロベスピエール

第41問

ア	ン	リ	デ	ュ	ナ	ン
イ	■	リ	ス	ザ	ル	■
ゴ	シ	ヨ	■	ワ	キ	ン
セ	シ	ウ	ム	■	ツ	■
イ	ク	■	ジ	ツ	ソ	ウ
モ	■	ゴ	ヤ	■	ス	エ
ク	サ	マ	ク	ラ	■	ノ

タテ 1：相碁井目 2：李陵 3：デス・ヴァレー国立公園 4：湯沢 5：ナルキッソス 8：獅子吼 11：無著 14：上野彦馬 15：護摩
ヨコ 1：アンリ（・）デュナン 6：リスザル 7：五所平之助 9：和金 10：セシウム 12：異口同音 13：実相観入 15：ゴヤ 16：末摘花 17：草枕

第42問

ア	ザ	イ	ナ	ガ	マ	サ
サ	■	カ	ボ	ス	■	カ
ノ	ジ	リ	コ	■	コ	エ
ナ	ノ	■	フ	サ	ク	■
ガ	リ	ア	■	マ	ラ	ガ
ノ	■	リ	ク	リ	■	モ
リ	ヴ	ア	イ	ア	サ	ン

タテ 1：浅野長矩 2：怒りの葡萄 3：ナボコフ 4：毒ガス 5：壺井栄 8：リチャードジノリ 9：或る「小倉日記」伝 12：善きサマリア人のたとえ 14：アリア 16：如是我聞 18：出る杭は打たれる **ヨコ** 1：浅井長政 6：かぼす 7：野尻湖 9：アメリカの声 10：ナノ 11：百年の不作 13：ガリア戦記 15：マラガ 17：光彩陸離 19：リヴァイアサン

コラムその⑧

六観音とは？

死後に赴くべき六道にいて衆生を救う観世音菩薩。地獄道に聖観音、餓鬼道に千手観音、畜生道に馬頭観音、修羅道に十一面観音、人間道に准胝観音または不空羂索観音、天道に如意輪観音を配する。

六朝とは？

中国史上で現在の南京市に都をおいた、三国時代の呉、東晋、南朝の宋、斉、梁、陳の総称。

第43問

イ	ノ	ウ	タ	ダ	タ	カ
ン	■	ダ	カ	ツ	■	ピ
カ	ノ	ツ	サ	■	カ	ラ
テ	ン	■	ゴ	ダ	イ	バ
イ	キ	レ	■	フ	ロ	ス
コ	■	ム	シ	ニ	■	ト
ク	リ	ス	マ	ス	ト	ウ

タテ 1：インカ帝国 2：うだつ 3：高砂 4：ダツ 5：カピラバストゥ 8：暢気眼鏡 9：カイロ宣言 12：ダフニス 14：ロムルスとレムス 17：島清興 **ヨコ** 1：伊能忠敬 6：蛇蝎の如く 7：カノッサ 9：から（唐、韓、漢）10：ハリウッド・テン 11：ゴダイバ夫人 13：いきれ 15：フロス河の水車場 16：蒸し煮 18：クリスマス島

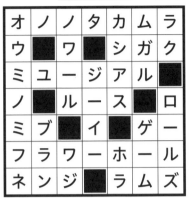

第44問　問題 92～93ページ

オ	ノ	ノ	タ	カ	ム	ラ
ウ	■	ワ	■	シ	ガ	ク
ミ	ュ	ー	ジ	ア	ル	■
ノ	■	ル	ー	ス	■	ロ
ミ	ブ	■	イ	■	ゲ	ー
フ	ラ	ワ	ー	ホ	ー	ル
ネ	ン	ジ	■	ラ	ム	ズ

タテ 1：淡海三船　2：フィルム・ノワール　3：カシアス・クレイ　4：ムガル帝国　5：洛　8：GE　10：ロールズ　12：ブラン・ド・ブラン　13：ゲーム理論　15：ワジ　16：洞ヶ峠
ヨコ 1：小野篁　6：志学　7：スタン・ミュージアル　9：ルース・ベネディクト　11：壬生浪士組　13：ゲー　14：フラワーホール　7：念持仏　18：(ロサンゼルス・)ラムズ

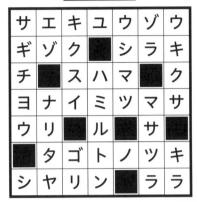

第45問　問題 94～95ページ

サ	エ	キ	ユ	ウ	ゾ	ウ
ギ	ゾ	ク	■	シ	ラ	キ
チ	■	ス	ハ	マ	■	ク
ヨ	ナ	イ	ミ	ツ	マ	サ
ウ	リ	■	ル	■	サ	■
■	タ	ゴ	ト	ノ	ツ	キ
シ	ャ	リ	ン	■	ラ	ラ

タテ 1：左義長　2：蝦夷　3：菊水　4：瀬川丑松　5：ゾラ　6：浮草　10：アレクサンダー・ハミルトン　12：成田屋　13：楠木正行　16：ゴリ　17：綺羅、星の如く　**ヨコ** 1：佐伯祐三　7：義賊　8：白木の念仏　9：すはま(州浜)　11：米内光政　14：瓜の蔓に茄子はならぬ　15：田毎の月　18：車輪の下　19：ララ(LARA)

コラムその⑨

和歌の10の風体を論じた定家十体とは?

鎌倉時代に藤原定家が編んだと伝わる。幽玄様(微妙な境にある)、長高様(丈高き)、有心様(こころある)、事可然様(ことしかるべき)、麗様(うるわしき)、見様(目に見える)、面白様(おもしろき)、濃様(こまやかなる)、有一節様(ひとふしある)、拉鬼様(鬼をひさぐ)の10の歌体。有心体が中心であるとする。

第46問　問題 96～97ページ

ケ	ツ	ア	ー	ル	■	ア
イ	ワ	イ	■	カ	ス	ガ
テ	ノ	ー	ル	■	ミ	ラ
ン	■	ダ	モ	ク	レ	ス
ノ	ア	■	イ	■	ノ	■
タ	ジ	マ	■	オ	ハ	ナ
ミ	ロ	ノ	ビ	ー	ナ	ス

タテ 1：啓典の民　2：津和野　3：アイーダ　4：ルカ　5：アガラス岬　8：すみれの花咲く頃　10：留萌本線　14：網代　16：真野の萱原　17：オー・ド・ヴィー、オー・デ・コロン　18：那須　**ヨコ** 1：ケツァール　6：磐井の乱　7：春日大社　9：テノール　11：ミラ　12：ダモクレスの剣　13：ノア　15：但馬牛　17：オハナ　19：ミロのビーナス

第47問

ゼ	ア	ミ	■	ゼ	ウ	ス
ン	■	モ	リ	ン	ジ	■
ザ	ム	ザ	■	シ	■	メ
イ	ー	■	モ	ン	シ	タ
ド	ン	ペ	リ	ニ	ヨ	ン
ウ	■	タ	タ	■	ウ	■
ジ	ユ	ン	ザ	ブ	ロ	ウ

タテ 1：善財童子　2：ミモザサラダ　3：善信尼　4：宇治十帖　7：ムーン・リバー　8：メタン　10：森田座　11：西洋松露　13：ペタン
ヨコ 1：世阿弥　3：ゼウス　5：茂林寺　6：グレゴール・ザムザ　9：e　10：紋下　12：ドン(・)ペリニヨン　14：タタ　15：西脇順三郎

第48問

フ	エ	ニ	キ	ア	■	ト
ジ	キ	シ	■	イ	カ	ホ
シ	シ	ユ	フ	オ	ス	■
マ	ヤ	■	イ	ロ	ゴ	ト
タ	■	ギ	ネ	ス	■	リ
ケ	ノ	■	ガ	■	ト	ト
ジ	ン	シ	ン	ノ	ラ	ン

タテ 1：藤島武二　2：益者三友　3：二朱金　4：アイオロス　5：杜甫　8：カスゴ　10：フィネガンズ・ウェイク　13：トリトン　16：ノン・ルフールマン原則　17：虎　**ヨコ** 1：フェニキア文字　6：直指庵　7：伊香保温泉　9：シシュフォスの岩　11：マヤ文明　12：色事　14：ギネス　15：毛野　17：トト　18：壬申の乱

第49問

オ	シ	ノ	ハ	ツ	カ	イ
ウ	ン	テ	イ	■	ク	チ
シ	コ	ウ	■	ハ	ノ	イ
ユ	キ	■	カ	ン	ダ	タ
ク	ン	デ	ラ	■	テ	イ
バ	■	ボ	カ	シ	■	ス
イ	ワ	ン	ラ	イ	テ	イ

タテ 1：鶯宿梅　2：新古今調　3：盧泰愚　4：灰とダイヤモンド　5：角館　6：一衣帯水　10：反　12：カラカラ　14：デボン紀　17：四夷
ヨコ 1：忍野八海　7：芸亭　8：口に蜜あり腹に剣あり　9：子貢　10：ハノイ　11：雪は天から送られた手紙である　12：犍陀多　13：ミラン・クンデラ　15：丁　16：ぼかし　18：イワン雷帝

第50問

カ	タ	タ	■	オ	シ	カ
ワ	■	ク	サ	セ	ン	リ
カ	ツ	ラ	タ	ロ	ウ	■
ミ	ル	ン	■	ツ	チ	ヤ
ハ	ギ	■	シ	ト	■	コ
ジ	■	ド	ン	■	ハ	ゼ
メ	ト	ロ	ポ	リ	タ	ン

タテ 1：河上肇　2：托卵　3：オセロット　4：真打　5：月に雁　7：沙汰の限り、沙汰の外　9：剣の舞　12：野狐禅　14：人類の進歩と調和　15：百年泥　16：秦氏　**ヨコ** 1：堅田の落雁　3：牡鹿半島　6：草千里　8：桂太郎　10：アラン・アレクサンダー・ミルン　11：土屋文明　13：萩　14：使徒　15：ドン　16：ハゼ　17：メトロポリタン美術館

第51問

ユ	シ	マ	■	シ	ス	イ
メ	■	ブ	ル	バ	キ	■
ノ	モ	イ	■	セ	■	ウ
ウ	ロ	■	キ	ン	カ	イ
キ	ー	ル	ン	■	ミ	ル
ハ	■	タ	カ	オ	■	ソ
シ	エ	ー	ン	ブ	ル	ン

タテ 1：夢浮橋 2：マブイ 3：司馬遷 4：数寄屋 7：ジャンヌ・モロー 8：ウィルソン 10：金環食 11：神は死んだ 13：ルター 16：飯富虎昌 **ヨコ** 1：湯島の境内 3：四睡図 5：ブルバキ 6：ノモイ 9：烏鷺の争い 10：金槐和歌集 12：基隆 14：ジョン・スチュアート・ミル 15：高尾太夫 17：シェーンブルン宮殿

第52問

セ	ポ	イ	■	ウ	シ	カ
カ	■	オ	オ	メ	ツ	ケ
イ	ク	タ	ガ	ワ	■	ツ
■	ラ	■	デ	カ	ル	ト
カ	イ	テ	ン	■	ツ	ウ
イ	シ	■	■	テ	コ	■
シ	ュ	ペ	ン	グ	ラ	ー

タテ 1：世界 2：Iι（イオタ） 3：梅若流 4：しつ 5：火血刀 7：オガデン 9：クライシュ（族） 11：ルッコラ 12：懐紙 13：テンペ 16：テグ（大邱） **ヨコ** 1：セポイの反乱 3：ウシ科 6：大目付 8：生田川 10：デカルト 12：天球（天体）の回転について 14：つう 15：明治維新 16：てこ（梃子）の原理 17：シュペングラー

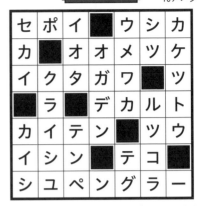

コラムその⑩

論語での益者三友、損者三友

有益な友とは、正直な人、誠実な人、物知りな人。有害な友とは、不正直な人、うわべはよいが不誠実な人、口先ばかりの人。

イエスの十二使徒

ペトロ、アンデレ、大ヤコブ、ヨハネ、フィリポ、バルトロマイ、トマス、マタイ、小ヤコブ、タダイ、熱心党のシモン、イスカリオテのユダ、マティア。

第53問

ヨ	ア	ケ	マ	エ	■	ヤ
シ	カ	イ	■	ゼ	ツ	ク
ム	■	エ	ン	キ	ン	■
ラ	デ	ン	■	エ	■	ス
ア	イ	■	ゲ	ル	ニ	カ
キ	ー	ナ	ン	■	ツ	ラ
ラ	ン	チ	エ	ス	タ	ー

タテ 1：吉村昭 2：赤の広場 3：桂園（派） 4：エゼキエル 5：ヤク 8：ツン 11：J（ジェームズ）・ディーン 12：スカラー 14：玄恵（玄慧） 15：新田 17：那智 **ヨコ** 1：夜明け前 6：死海文書 7：絶句 9：遠近法 10：螺鈿 13：愛の学校 14：ゲルニカ 16：ジョセフ・キーナン 18：蛙の面に水 19：ランチェスター

イ	セ	モ	ノ	ガ	タ	リ
チ	ヤ	■	ギ	ン	エ	ン
ゴ	ク	ラ	ク	ジ	■	ゲ
ハ	■	ス	■	ス	ジ	ン
ク	カ	タ	チ	■	ヤ	■
シ	エ	■	ワ	■	ニ	ヤ
ヨ	シ	ザ	ワ	■	ス	ナ

タテ 1：いちご白書　2：施薬院　3：野菊の墓　4：ガンジス川　5：妙なる調べ　6：綸言汗の如し　10：ラスタ（ファリ）　12：ジャニス・ジョプリン　14：かえし　15：チワワ　18：やな（梁）

ヨコ 1：伊勢物語　7：お茶を挽く　8：銀塩写真　9：極楽寺坂切通　11：崇神天皇　13：くかたち　16：紫衣事件　17：ワーニャ伯父さん　19：芳澤（芳沢）あやめ　20：砂の女

イ	ズ	シ	■	ヒ	シ	オ
ワ	■	タ	ラ	ン	テ	ラ
サ	コ	ン	■	キ	ト	ン
マ	ナ	■	シ	ユ	ウ	ジ
タ	ン	ジ	ロ	ウ	■	ユ
ベ	■	ヤ	ミ	■	ユ	リ
エ	ピ	ス	テ	ー	メ	ー

タテ 1：岩佐又兵衛　2：紫檀　3：貧窮問答歌　4：シテ島　5：オランジュリー美術館　8：湖南省　11：しろみて（代満）　13：JAS　15：夢

ヨコ 1：出石　3：ひしお　6：タランテラ　7：左近の桜　9：キトン　10：真名　11：修辞学　12：丹次郎　14：ヤミ（雅美）族　15：谷間の百合　16：エピステーメー

コラムその⑪

ギリシャ語のアルファベット

Aα（アルファ）、Bβ（ベータ）、Γγ（ガンマ）、Δδ（デルタ）、Eε（エプシロン）、Zζ（ゼータ）、Hη（イータ）、Θθ（シータ）、Iι（イオタ）、Kκ（カッパ）、Λλ（ラムダ）、Mμ（ミュー）、Nν（ニュー）、Ξξ（クシー）、Oο（オミクロン）、Ππ（パイ）、Pρ（ロー）、Σσ/ς（シグマ）、Ττ（タウ）、Υυ（イプシロン）、Φφ（ファイ）、Χχ（キー）、Ψψ（プシー）、Ωω（オメガ）。

オ	ウ	シ	ヨ	ウ	ク	ン
リ	■	オ	シ	リ	ス	■
ク	ジ	■	ユ	■	シ	ギ
チ	ユ	ウ	ア	イ	■	ヤ
シ	カ	ン	■	カ	ル	ラ
ノ	■	ド	ロ	メ	■	ツ
ブ	ラ	ウ	ン	シ	ン	プ

タテ 1：折口信夫　2：地の塩　3：ヨシュア記　4：瓜　5：薬師　8：樹下美人図　10：ギャラップ　12：運動の三法則　13：いかめし　17：ロン・ハワード　**ヨコ** 1：王昭君　6：オシリス　7：九字　9：鷸　11：仲哀天皇　14：止観　15：迦楼羅　16：泥目　18：ブラウン神父

第57問
問題 118〜119ページ

ベ	ニ	バ	ナ	■	ビ	ワ
ア	ゴ	■	ユ	モ	ミ	■
ト	リ	ス	タ	ン	■	バ
リ	エ	ン	■	テ	ロ	ル
ー	■	ガ	ン	カ	■	ト
チ	ボ	リ	■	ル	オ	ー
エ	ア	ー	ズ	ロ	ッ	ク

タテ 1：ベアトリーチェ　2：にごりえ　3：那由他　4：美味礼讃　7：モンテカルロ　9：スンガリー　10：バルトーク　15：ボア　17：乙
ヨコ 1：紅花　4：琵琶　5：顎で蝿を追う　6：湯もみ　8：トリスタンとイゾルデ　11：梨園　12：テロルの決算　13：眼科　14：チボリ公園　16：ジョルジュ・ルオー　18：エアーズ（・）ロック

第58問
問題 120〜121ページ

ニ	ト	モ	ノ	ガ	タ	リ
シ	モ	ン	■	ウ	キ	ヨ
ダ	■	ジ	ゼ	ル	■	ウ
キ	シ	ユ	ウ	■	コ	ザ
タ	ダ	■	ク	ラ	イ	ン
ロ	■	カ	シ	ス	■	パ
ウ	ッ	ド	ス	ト	ッ	ク

タテ 1：西田幾多郎　2：友　3：文殊菩薩　4：ガウル　5：滝（瀧）廉太郎　6：梁山泊　10：ゼウクシス　12：シダの洞窟　13：猫の恋　16：ラスト・ベルト　17：智に働けば角が立つ
ヨコ 1：二都物語　7：熱心党のシモン　8：浮世床、浮世風呂　9：ジゼル　11：紀州　13：跨座式　14：只　15：クラインの壺　17：カシス　18：ウッドストック

第59問
問題 122〜123ページ

フ	ァ	ウ	ス	ト	■	ド
ジ	■	エ	フ	ゲ	ニ	ー
タ	ロ	ー	■	ヌ	キ	デ
ツ	■	バ	ス	キ	ア	■
グ	リ	ー	グ	■	ス	ケ
ハ	リ	■	キ	カ	■	ー
ル	ー	ン	■	イ	エ	ジ

タテ 1：藤田嗣治　2：マックス・ウェーバー（ヴェーバー）　3：周布政之助　4：とげぬき地蔵　5：ドーデ　7：ニキアス　11：すぐき　13：リリー・マルレーン　15：ジョン・ケージ　18：カイ　**ヨコ** 1：ファウスト　6：エフゲニー・オネーギン　8：ゲルダ・タロー　9：抜（き）出　10：ジャン＝ミシェル・バスキア　12：グリーグ　14：すけ　16：瑠璃も玻璃も照らせば光る　17：奇貨居くべし　19：ルーン文字　20：家路

第60問
問題 124〜125ページ

ク	オ	ヴ	ァ	デ	イ	ス
ニ	■	エ	■	シ	デ	ン
キ	ユ	ー	バ	■	イ	■
ダ	イ	ダ	ラ	ボ	ッ	チ
ド	マ	■	ラ	■	シ	ユ
ツ	■	カ	イ	ジ	ユ	ウ
ポ	ア	ン	カ	レ	■	カ

タテ 1：国木田独歩　2：ヴェーダ　3：出家とその弟子　4：イディッシュ語　5：一寸の虫にも五分の魂　8：維摩経　9：バラライカ　11：仲夏　14：甲　15：ジレ　**ヨコ** 1：クォ（・）ヴァディス　6：紫電一閃　7：キューバ危機　10：だいだらぼっち　12：土間　13：首　14：かいじゅうたちのいるところ　16：ポアンカレ

問題と解答制作：キューパブリック

デザイン：出渕諭史(cycledesign)

イラスト：池田伸子(cycledesign)

編集協力：上村絵美

編　　集：小田切英史(主婦と生活社)

＊本書は、日本経済新聞[日曜版]NIKKEI The STYLEで連載中の「Challenge! CROSSWORD」の問題と解答を再編集して単行本化したものです。
　問題と解答は原則として日本経済新聞に掲載時のもので、表記法など、時代の変化や学説などで異説がある場合もあります。

超難問クロスワード

難攻不落編

制　作　　キューパブリック

編集人　　澤村尚生

発行人　　倉次辰男

発行所　　株式会社主婦と生活社

　　　　　〒104-8357 東京都中央区京橋3-5-7

　　　　　TEL 03-3563-5058(編集部)

　　　　　TEL 03-3563-5121(販売部)

　　　　　TEL 03-3563-5125(生産部)

　　　　　https://www.shufu.co.jp

印刷所　　大日本印刷株式会社

製本所　　共同製本株式会社

ISBN978-4-391-15946-2